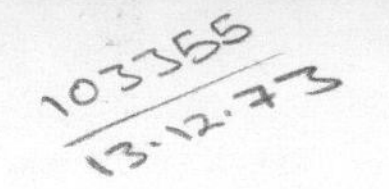

Wolfgang Ritter

Hebbels Psychologie und dramatische Charaktergestaltung

MARBURGER BEITRÄGE ZUR GERMANISTIK

herausgegeben

zusammen mit

Josef Kunz und Erich Ruprecht

von

Ludwig Erich Schmitt

Band 43

N. G. ELWERT VERLAG MARBURG

1973

Hebbels Psychologie
und
dramatische Charaktergestaltung

von

Wolfgang Ritter

N. G. ELWERT VERLAG MARBURG
1973

printed in Germany
Druck: Buch- und Offsetdruckerei H. Kombächer, Marburg/Lahn
ISBN 3 7708 0481 3

GLIEDERUNG

Seite

A) EINLEITUNG

I) Zur Einführung

Hebbels Verhältnis zur zeitgenössischen Psychologie hat in der Forschung bisher nur wenig Beachtung gefunden, obwohl viele Interpreten immer wieder auf die großartige Psychologisierungstechnik in den Tragödien hingewiesen haben. Das mangelnde Interesse der Forschung läßt sich in erster Linie auf die hypothetische Ansicht Zieglers zurückführen, daß der Dichter sich seine psychologischen Erkenntnisse fast ausschließlich introspektiv erarbeitet habe: "Die psychologische Wurzel, aus der Hebbels Theorien erwachsen, ist zutiefst gar nicht die logisch systematisierende Rationalität des denkenden Bewußtseins, sondern die dunkel sprunghafte Intuition und Irrationalität des Unbewußten"[1].
Erst Liepe hat diese Ansicht in einer Analyse der Jugendjahre Hebbels weitgehend revidiert, indem er darauf hinwies, daß der Dichter bereits im sechzehnten Lebensjahr von der Psychologie Schuberts in entscheidendem Maße beeinflußt wurde: "Der breite Raum, den das Gebiet des Unbewußten, Traum, Schlaf und Mythos in Hebbels dichterischem Schaffen wie in seiner Theorie bis an sein Lebensende einnimmt, beruht auf der wahlverwandten Übernahme des Schubertschen Weltbildes"[2].
Obwohl sich Hebbel selbst im Laufe der Jahre mehr und mehr von der spekulativen Methode der idealistischen Philosophie distanzierte und schon zu Beginn seiner Tagebücher forderte, "so wie der Physiologe nur durch die Anatomie des Tiers die Konstruktion des Menschen erfaßt hat, so sollte auch der Psycholog mit dem Tiere anfangen und durch die an diesem beobachteten geistigen Erscheinungen zum Menschen hinaufsteigen" (T 67), nahm die Heb-

---

1) Klaus Ziegler: Wandlungen des Tragischen. In: Hebbel in neuer Sicht. Hrsg. von Helmut Kreuzer. Stuttgart 1969. 2. Aufl., S. 11 - 25. Hier: S.14.

2) Wolfgang Liepe: Der Schlüssel zum Weltbild Hebbels: Gotthilf Heinrich Schubert. In: Kieler Studien zur dt. Literaturgeschichte. Hrsg. von Erich Trunz. Neumünster 1963. Bd.II, S. 141.

bel-Forschung nur wenig Notiz von dem gesteigerten Interesse Hebbels an der Psychologie. Fast alle wesentlichen Beiträge, die sich mit den philosophisch-psychologischen Theorien Hebbels befaßten, liefen sich immer wieder an einer geringen Anzahl von geistigen Stammvätern seines Welt- und Menschenbildes fest: Schubert, Feuerbach, Schelling und Hegel. Unberücksichtigt blieb auch die Tatsache, daß Hebbel in der Zeitwende von der spekulativen zur empirischen Wissenschaftsmethodik gelebt hat. Dieser Umbruch läßt sich nämlich in den Tagebüchern Hebbels nachweisen, in denen er sich nicht nur mit den Anschauungen der spekulativen Naturphilosophie, sondern auch mit den Lehrmeinungen der empirischen Psychologie und Physiologie auseinandersetzt. So wendet er sich unter anderem gegen die metapsychologische Anschauung vom "tierischen Magnetismus", die vor allem von Schelling und seiner Schule vertreten wurde, und kritisiert die wissenschaftliche Methode in Steffens "Anthropologie":"Das Buch ist voll von glänzenden Ansichten, aber es ist weit mehr ein Werk kühner Phantasie, als ruhigen Verstandes, und das ist dem Begriff der Wissenschaft nicht angemessen"(T 1347).

Bis zum Abschluß der "Judith" im Jahre 1840 befaßt sich der Dichter in etwa 250 von 2000 Notaten mit psychologischen Problemen und Teilerkenntnissen. Diese Notate[1] enthalten durchwegs fundamentale Aussagen zur psychischen Bestimmung des Menschen. Allzu leicht kann ein Interpret dem Fehler verfallen, daß er den psychologischen Aussagegehalt der Tagebücher unter dem Aspekt einer modernen psychologischen, nicht aber zeitgemäßen Betrachtungsweise behandelt. Die psychologischen Einflüsse von Spinoza, Leibniz und Wolff bis hin zu Schelling und Carus sind in den Tagebüchern nachweisbar. Nicht alle Lehrmeinungen dieser Autoren haben später für die empirische Psychologie Bedeutung erlangt:

---

1) Müller vertritt hier die Auffassung: "Entscheidendes sagt Hebbel im Tagebuch nicht in begrifflicher Definition, sondern bildhaften Umschreibungen und metaphorischen Verkleidungen". Joachim Müller: Zur Struktur und Funktion von Hebbels Tagebüchern. In: Hebbel in neuer Sicht. S. 109 - 122. Hier: S. 109.

> Was in den mehr als zwei Jahrtausenden seit Platon und Aristoteles an psychischen Erscheinungen und Vorgängen beschrieben worden ist, ist nicht in erster Linie Spekulation über Vorhandenes, vor aller Augen Liegendes, sondern wurde in immer neu wiederholtem Formulierungsbemühen einer anderen Wirklichkeit abgerungen (die es als hantierbare Wirklichkeit nicht gibt). (1)

Inwieweit nun diese Einflüsse auch in die dramatische Charaktergestaltung eingegangen sind, bleibt noch zu untersuchen. In den letzten Jahren seines Lebens schreibt der Dichter aber einmal an Siegmund Engländer:

> Was nun ihre Bedenken gegen den Realismus des Gyges und der Nibelungen anbelangt, so setze ich den Realismus hier und überall ausschließlich in das psychologische Moment, nicht in das kosmische. Die Welt kenne ich nicht, denn obgleich ich selbst ein Stück von ihr vorstelle, so ist das doch ein so verschwindend kleiner Teil, daß daraus kein Schluß auf ihr wahres Wesen abgeleitet werden kann. Den Menschen aber kenn ich, denn ich bin selbst einer (...) Die Gesetze der menschlichen Seele respektiere ich ängstlich..." (T 6085)

Diese Ansicht Hebbels ist nicht nur deshalb von besonderer Bedeutung, weil ihr implizit das Primat Psychologie zugrunde liegt, sondern weil sie darüber hinaus auf eine neue Form des Dramas verweist:

> Die tragische Tat war bei den Griechen, bei Shakespeare und gewissermassen noch bei den französischen Klassikern eine unheimliche, unerklärliche, irrationale Erscheinung; ihre erschütternde Wirkung hing vor allem mit ihrer Unbegreiflichkeit zusammen. Durch die psychologische Motivierung erhielt sie nun ein menschliches Maß und wurde, wie die Vertreter des bürgerlichen Dramas es wollten, dem gefühlsmäßigen Nacherleben nähergebracht." (2)

Hebbel mahnt an mehreren Stellen seines Tagebuches vor einer allzu intensiven Beschäftigung mit der Philosophie, denn "was die Philosophie dem Menschen verschaffen will, das verliert er am leichtesten, wenn er sich mit ihr beschäftigt" (T 1274). Und

---

1) Wilhelm Hehlmann: Geschichte der Psychologie. 2. Aufl., Stuttgart 1967. S. 3.

2) Arnold Hauser: Sozialgeschichte der Kunst und Literatur. München 1953. Bd. II, S. 96.

während er der Philosophie zeit seines Lebens skeptisch gegenübersteht, setzt er sein "Vertrauen in die Fortschritte der Wissenschaft, besonders der Naturwissenschaft"[1].
Neben psychologischen sind es auch medizinische Probleme, mit denen er sich nachhaltig auseinandersetzte; bezeichnenderweise finden wir in seinem Freundeskreis zahlreiche Mediziner: Mittermaier, Müller, Steinheim, Hufeland, Brücke und Feuchtersleben. Der Einfluß der Medizin konzentriert sich auf die - für das Drama nicht unwesentlichen - Bereiche der Pathologie und Diätetik.
Die Hebbel-Forschung ist an dieser Fülle des Materials bisher vorübergegangen, obwohl sie sich durchaus bewußt war, daß die Sonderstellung Hebbels in dieser Epoche, "diese(r) zeitliche(n) Zwischenstellung", nicht nur auf der "Zerissenheit des weltanschaulichen Entwicklungsvorganges"[2] beruht, sondern vor allem auf der starken Hervorhebung des psychologischen Entwicklungsmoments, das bis auf Ibsen verweist. Wenn nun L. Marcuse in seiner Freud-Biographie herausstellt,"Hebbels Judith, von der man annehmen könnte, sie sei von Freud beeinflußt", werde von ihm "im Aufsatz "Das Tabu der Virginität" zergliedert, dann erhebt sich die Frage nach Berücksichtigung der psychologischen Fakten in noch stärkerem Maße.
Natürlich ist es schwierig, jene Psychologie aus den naturphilosophischen und idealistischen Systemen des 18. und 19. Jahrhunderts zu extrahieren, die sich Hebbel zu eigen gemacht hat, aber erst dann findet man das richtige Verständnis für Hebbels dramatisches Werk. Und Hebbel ist schließlich der einzige Dramatiker seiner Zeit, der sich so intensiv mit den tiefenpsychologischen Anschauungen und Lehren der Romantik beschäftigt und diese in sein dramatisches Werk transponiert hat.

---

1) Klaus Geißler: Das Bild der Gesellschaft in Friedrich Hebbels Tagebüchern. In: Fr. Hebbel. Der einsame Weg. Hrsg. von Klaus Geißler. Berlin 1970. S. 489 - 523. Hier: S. 493.

2) Klaus Ziegler: Mensch und Welt in der Tragödie Friedrich Hebbels. Darmstadt 1966. Unveränd. reprograf. Nachdruck der Ausgabe Berlin 1938. S. 189.

3) Ludwig Marcuse: Sigmund Freud. Sein Bild vom Menschen. Hamburg 1956. S. 85.

II) Problematik und Methode der Arbeit

Hebbel hat sich zweifellos sehr umfassend und nachhaltig mit psychologischen Problemen und Erkenntnissen seiner Zeit auseinandergesetzt. Aus den zahlreichen Notaten und Briefhinweisen läßt sich ein auf viele Phänomene des menschlichen Wesens modifiziertes, allerdings nicht ganz widerspruchsfreies Bild entwickeln. Aber gerade weil die Psychologie Hebbels in der Theorie aus einem Konglomerat von naturphilosophischen, anthropologischen und empirischen Anschauungen besteht, kennzeichnet dieses Nebeneinander bzw. "Durcheinander" verschiedendster Ansätze den wissenschaftlichen Charakter dieser Zeit:

> Die Tendenz zur Vereinheitlichung und zur Vereinfachung ist groß. Der Systematisierungsdrang entfaltet sich in dieser Periode idealistischen und romantischen Denkens noch einmal zu schwindelhafter Höhe, viele Anhänger mitreißend, doch mit Skepsis und oft Hohn verfolgt von dem nüchternen Tatsachenforscher. Nun ist es in den psychologischen Erörterungen dieser Zeit wie in den übrigen Wissenschaften: beides besteht nebeneinander. Neben hochfliegenden gedanklichen Konstruktionen stehen schon die Sinnesuntersuchungen eines Purkinje oder Johannes Müller. (1)

Diese Kennzeichnung ist gerade deshalb von besonderer Bedeutung für die Theorie Hebbels, weil er anscheinend - ganz im Gegensatz zur Praxis - keinem bestimmten System verhaftet bleibt. Seinen methodischen Ansatz könnte man daher als selektiv bezeichnen: jedes psychologische Phänomen, das ihn besonders interessiert, versucht er zu ergründen, primär durch das introspektive Verfahren, aber auch durch willkürliche Übernahme von Teilerkenntnissen aus naturphilosophischen, psychologischen und mitunter sogar aus literarischen Schriften. Auf einen weiteren Sachver-

---

1) Wilhelm Hehlmann: Geschichte der Psychologie. a.a.O. S. 120.

halt hat Müller in einem anderen Zusammenhang hingewiesen: er vertritt die These, daß die philosophisch-psychologischen Anschauungen Hebbels schon weitgehend präformiert waren, als sich der Dichter in frühen Jahren mit Schubert und Feuerbach auseinandersetzte: "Was Hebbel aus Schubert und Feuerbach übernahm, mußte also in seinem dichterischen Grundwesen präformiert sein, sonst hätte es ihn nicht ein Leben lang so stark beschäftigt"[1].
Die Schlußfolgerung Müllers klingt zwar nicht logisch zwingend und widerlegt keineswegs die These Matthiesens[2], aber sie entbehrt nicht einer gewissen Wahrheit. Hebbel selbst scheint die Theorie der Präformierung zu unterstreichen, wenn er sich in einem Notat vom Jahre 1847 mit der "Psyche" von Carus befaßt und dazu bemerkt: "Ein höchst vortreffliches Werk, das sich an vieler meiner Grundgedanken anschließt und andere erweitert oder schärfer begrenzt" (T 4127). Doch kann man hier einwenden, daß Hebbel die wesentlichen Erkenntnisse über die psychische Bestimmung des Menschen bereits durch die Naturphilosophie Schuberts und Schellings inkorporiert hatte und auch Carus selbst ein Anhänger der Schellingschen Schule war.
Die autodidaktische Anreicherung seines Wissens und die Übernahme von Teilerkenntnissen in seine Tagebücher geschieht meistens ohne konkrete Hinweise auf Autor und Titel seiner Lektüre. Ob dies nun ein bewußtes oder unbewußtes Kaschieren ist, bleibt letztlich ungelöst und verweist auf seine Bildungsnot:

> Wenn Hebbel noch, als er längst ein angesehener Dramatiker geworden war, betonte, daß er sich seine philosophischen und dramatisch-ästhetischen Meinungen völlig selbständig gebildet und seit seinem 22. Lebensjahr keine wahrhaft neue Idee erworben habe, so braucht das weder Lüge noch Vergeßlichkeit zu sein; das hastige ungeordnete Viel- und Durcheinanderlesen ließ ihm keine Möglichkeit, zu unterscheiden

---

1) Joachim Müller: Zur Struktur und Funktion von Hebbels Tagebüchern. a.a.O. S. 111.

2) Matthiesen ist dieser Ansicht: "Er ließ sich jedoch noch von zwei weiteren Schriftstellern andere Wege öffnen, von Ludwig Feuerbach und Gotthilf Heinrich Schubert. Beide las er bereits mit fünfzehn und sechzehn Jahren, und beide begleiteten ihn in der folgenden Zeit, aber Hebbel hat seiner Lehrmeister nie gedacht." Hayo Matthiesen: Hebbel-Monographie. Hamburg 1970. S. 21.

> zwischen eigenen und übernommenen Ideen, durch die er sich, soweit sie seinen Gedanken entgegenkamen, mehr bestätigt als gefördert und belehrt fühlte, da er ja nicht von der Schule her wußte, daß man sich zum geordneten Weiterstudieren auch Namen von Autoren und Titel von Büchern einprägen muß, in deren Schuld man steht. (1)

Die Schwierigkeit dieser Untersuchung liegt darin, die latenten Verfahrensweisen der Introspektion und Inkorporation aufzudecken, um auf Grund dieser Differenzierung schließlich feststellen zu können, was auf Selbstbeobachtung und was auf einen Einfluß von aussen her zurückzuführen ist. Der Einfluß von außen bzw. die Übernahme von bestimmten Erkenntnissen und Anschauungen wird dann mittels eines Zuordnungsprozesses nachgewiesen werden müssen.
Was Hebbel nie gelingt und was er vermutlich auch gar nicht beabsichtigte, ist eine Systematisierung des psychologischen Materials, um dieses schließlich konsequent auf seine Dramen anzuwenden.

Hier stellt sich die Frage, ob und wieweit der Dichter überhaupt seine psychologischen Ansichten aus der Theorie in die Praxis transponiert hat. Keineswegs aber wird sein dramatisches Werk nur mit "Selbstdeutungen" angereichert sein, obwohl das persönliche Moment als wesentlicher Beeinflussungsfaktor nicht unterschätzt werden darf. Die Gefahr einer einseitigen Deutung liegt gerade darin, gewisse Identitätserscheinungen zwischen bestimmten dramatischen Charakteren und dem Dichter zu verabsolutieren:

> Es ist reiner Psychologismus, das Kunstwerk als ein "Dokument" von seelischen Anlagen und persönlichen Interessen zu betrachten. Die Kunst ist fast immer Ausdruck. Sie enthält außer den privaten Motiven und praktischen Zielen, die ihr zugrunde liegen, eine Unzahl von traditionellen und konventionellen Elementen, die aber ihren Ursprung in seinen subjektiven Bedürfnissen und persönlichen Ansichten haben.(2)

Einige Interpreten fielen dem Irrtum zum Opfer, daß sie die psychologische Motivierung des Tragischen mehr auf Hebbels "Intui-

---

1) Anni Meetz: Friedrich Hebbel. 2. durchgesehene und ergänzte Aufl., Stuttgart 1962. S. 12.

2) Arnold Hauser: Methoden der Kunstbetrachtung. Ungekürzte Sonderausgabe 1970 nach der Originalausgabe: Philosophie der Kunstgeschichte. München 1958. S. 80.

tion" als auf bestimmte Einflüsse von außen her zurückführten.
Aber auch wenn Wiese zur "Judith" bemerkt, "die Aufdeckung dieser innern Vernichtung geschieht mit den Mitteln der modernen Psychologie"[1], so impliziert hier der Begriff "moderne Psychologie" eine intuitive Vorwegnahme der Psychoanalyse durch Hebbel, obgleich auch die Psychologie der Romantik in starkem Maße "in den Tiefenschichten menschlichen Seins verwurzelt"[2] ist.
Bevor die theoretischen Bezüge Hebbels zu den psychologischen Aussagen seiner Zeit nicht geklärt sind, läßt sich über die Psychologisierungstechnik in seinen Tragödien nur wenig sagen, es sei denn, man folgt uneingeschränkt der These Müllers: "das Primäre ist die Auseinandersetzung mit seinem eigenen Selbst"[3], und führt die Erkenntnistheorie Hebbels ganz auf die neuplatonische Methode der Introspektion zurück. Was der Theorie als ausschließlich persönliches Moment zugrunde läge, müßte auch zwangsläufig in Bezug auf die Psychologisierung des Tragischen auf eine rein subjektive Motivierung hindeuten.
Hebbels dramatische Intention zielte aber vielmehr darauf ab, dem Allzu-persönlich-Werden zu entgehen, denn "schlechte Dichter, die aber gute Köpfe sind, liefern statt der Charaktere ihr Schema und statt der Leidenschaft ihr System" (T 1630). Impliziert eine derartige Aussage nicht, daß sich der Dichter mit der psychischen Bestimmung des Menschen beschäftigt, um nicht einer allzu persönlichen und damit phantastischen und realitätsfremden Gestaltungsweise zu verfallen?
Müller geht bei seiner Untersuchung primär von der Interpretation der Präambel aus: "Es wird nie ganz eindeutig auszumachen sein, ob Hebbel von Anfang an sein Tagebuch mit den Gedanken an eine spätere Publikation konzipierte oder ob sich diese Absicht erst

---

1) Benno von Wiese: Die deutsche Tragödie von Lessing bis Hebbel. Hamburg 1948. 7. Aufl. 1967. S. 575.
2) Wilhelm Hehlmann: Geschichte der Psychologie. a.a.O. S. 117.
3) Joachim Müller: Zur Struktur und Funktion von Hebbels Tagebüchern. a.a.O. S. 109.

mit dem steigernden dichterischen Selbstbewußtsein etwa seit dem Erfolg der Judith einstellte"[1]. Verfolgt man jedoch den weiteren funktionalen Verlauf der Tagebücher, so begegnet man immer mehr dem Charakter eines Tagebuches, das eine Fülle von Material aufspeichert: menschliche und psychologische Probleme werden fixiert und ins dichterische Bewußtsein transponiert. Die Introspektion im Sinne einer neuplatonischen "Selbstschau" bleibt zwar durchgängig das wesentliche Moment, aber Hebbel setzt sich in zunehmendem Maße mit den zentralen Begriffen des Lebens auseinander, indem er ihre Begrifflichkeit durch den Einfluß der Wissenschaft noch festigt. Dies geschieht mit einer sich immer deutlicher abzeichnenden Relativierung zum Dramatischen. Und Hebbel geht es schließlich auf Grund der Erfahrung und Kenntnisse der Lebensverhältnisse um das primäre Innewerden der treibenden Kräfte, denn "Dichten heißt: Abspiegeln der Welt auf individuellem Grunde" (T 2300).

Die Transponierung der psychologischen Anschauungen in das dramatische Gefüge geschieht nach bestimmten Gesetzen der Ästhetik und nach dem dramatischen Bewußtsein des Dichters. Das Drama unterliegt dann aber einer psychologischen Eigengesetzlichkeit:

> Auch die Beteiligung der seelischen und geistigen Kräfte am Schaffensvorgang ist nicht bei allen Dichtern gleich. Aus ungeahnten Tiefen der Seelengründe, aus dem, was die Psychologie das Unbewußte und das Unterbewußte nennt, kann plötzlich oder langsam eine erste Anregung oder ein erstes ungefähres Bild des zu Schaffenden aufsteigen. Sicher kann es sich dabei oft um Verdrängtes handeln, also um Eindrükke oder Erregungen, die früher einmal aus bestimmten Gründen in diese Tiefen begraben worden sind. Auch Gestaltungsantriebe können von daher aufsteigen. Aber immer wirken auch die Schichten des Bewußten mit. (2)

Hebbel selbst war sich schließlich der Gefahr eines allzu mächtigen Subjektivismus bewußt: "Der Mensch gerät in große Gefahr, wenn er seine einseitig gewonnene Erfahrung zum alleinigen Maßstab seines Urteils und zum Prinzip seines Handelns macht"(T 1051).

---

1) ebd. S. 110.

2) Herbert Seidler: Die Dichtung. Wesen, Form, Dasein. 2. überarbeitete Aufl., Stuttgart 1965. S. 83.

Und schon ein Jahr zuvor hatte sich der Dichter der Forderung Thorwaldsens angeschlossen, daß "der Dichter (...) in keinem Gebiet fremd sein" (T 748) dürfe.
Was nun die Zuordnung von Hebbels Psychologie zu den geistigen Grundströmungen seiner Zeit betrifft, so wird eine Untersuchung dadurch erschwert, daß der zeitgeschichtliche Rahmen, in dem das Werk Hebbels steht, sich von der rationalen Metaphysik, der romantischen Naturphilosophie und dem Materialismus bis hin zu den Anfängen der experimentellen Psychologie erstreckt. Aus diesem wechselseitigen Verhältnis zu den verschiedendsten methodischen Ansätzen seiner Zeit manifestiert sich dieser Antagonismus von Realität und Irrationalität bzw. empirischer und spekulativer Perspektive.
Hebbel steht der Wirklichkeit des Lebens zunächst hilflos gegenüber und sucht nach einem Halt. Sein leidenschaftlicher und zur Sprunghaftigkeit tendierender Charakter treibt ihn in den jungen Jahren seiner vielschichtigen Existenznot zur Philosophie Schuberts und Feuerbachs, denn "beide las er bereits mit fünfzehn und sechzehn Jahren"[1], in einem Alter, in dem er bereits um Klärung seiner Daseinsproblematik ringt, und "der eigenen Lebenserfahrung entsprechend wird er die Existenz selbst als Schuld bezeichnen, womit nun Schuld Schicksal, d.h. wieder Unschuld wird"[2].
Mit zunehmendem Alter und mit dem Bewußtwerden seiner dramatischen Qualitäten entwickelt sich in ihm eine neue Form des Erlebens und geistigen Verarbeitens der Lebensproblematik. Hebbel bemüht sich jetzt, sich von der rein spekulativen Phase seiner frühen Jugend zu distanzieren, indem er jeglichen Einfluß von seiten der idealistischen Philosophie negiert und schließlich behauptet, "daß ich der Philosophie trotz aller Anstrengungen, an denen ich es wahrlich nicht fehlen ließ, nichts abzugewinnen vermochte"[3]. Der Dichter gewinnt zwar tatsächlich ein engeres

---

1) Hayo Matthiesen: Hebbel-Monographie. a.a.O. S. 21
2) Wolfgang Liepe: Friedrich Hebbel, Weltbild und Dichtung. S. 7 - 26. In: Hebbel-Jahrbuch 1960. Hier: S. 14.
3) Friedrich Hebbel: Werke. Hanser Ausgabe. Hrsg. von Fricke, Keller u. Pörnbacher. München 1963 - 67. Hebbels Werke werden nach der fünfbändigen Ausgabe zitiert. Hier: Bd. III, S. 764.

Verhältnis zu den Naturwissenschaften und zur empirischen Psychologie, bleibt aber der spekulativen Philosophie ebenso verhaftet wie dem Wunsch, noch tiefer in die menschliche Natur und ihre Eigengesetzlichkeit vorzudringen.
Legt man diese Gesichtspunkte zugrunde, so läßt sich das Leben Hebbels in drei wesentliche Phasen aufgliedern. Die erste umfaßt den Zeitraum von 1828 bis 1834 und ist vor allem durch den Einfluß Schuberts und Feuerbachs auf sein Welt- und Menschenbild gekennzeichnet. In der zweiten Phase (1835 - 1840), in der er den spekulativen Strömungen seiner Zeit schon kritischer und skeptischer gegenübersteht und in der sich sein dramatisches Bewußtsein zu regen beginnt, fundiert er - vor allem durch den Einfluß Schellings - seine Psychologie des Tragischen. Mit dem Abschluß der "Judith" im Jahre 1840 erweist sich schließlich, "daß alle Motive, die in seinem späteren Schaffen vertieft und abgewandelt werden sollten, in seinem Erstlingsdrama bereits vorhanden und in eine zwingende Ordnung gebracht worden sind"[1].
Deshalb liegt der Schwerpunkt dieser Arbeit auch auf einer Analyse der zweiten Phase, weil die dritte (1841 - 1863) keine wesentlich neuen Erkenntnisse in bezug auf die Psychologisierung des tragischen Werkes erkennen läßt. Die dritte Phase ist nur insofern von Bedeutung, als sich Hebbel auf Grund des sich steigernden sozialen Erfolges einem realitätsbezogeneren Denken zuwendet. Aus diesem Grunde muß hier auch der Mensch Hebbel Gegenstand einer Untersuchung sein, zumal viele Interpreten eine Wesensverwandtschaft zwischen bestimmten Charakteren und Hebbel selbst festgestellt haben wollen. In dem Trauerspiel "Maria Magdalene" schlägt sich sogar - wie Hayo Matthiesen in seiner Hebbel-Monographie vermerkt - "eine ganze Erlebniswelt nieder: Was Hebbel bei dem Tischlermeister erlebte, formte er in seinem bürgerlichen Trauerspiel "Maria Magdalena"[2]. Solche Identitätstheorien sind allerdings mit großer Vorsicht zu behandeln.

---

1) Martin Schaub: Friedrich Hebbel. Hannover 1967. S. 22.
2) Hayo Matthiesen: Hebbel-Monographie. a.a.O. S. 37.

Vertreter der positivistischen Methode, die sich für einen Biographismus entscheiden, laufen bei Hebbel Gefahr, die verschiedenartigen Strukturen seines theoretischen und dramatischen Werkes zu verkennen. Ein Verfahren, das solch einfache Formeln verwendet wie vom Leben zum Werk oder "vom Werk zum Leben"[1], unterläuft die Eigenstellung Hebbels in der Literaturgeschichte. Ebenso falsch ist es, mit wissenschaftlicher Akribie die Fakten zu sammeln, die Hebbels Bezug zur zeitgenössischen oder gar modernen Psychologie aufzeigen, um sie dann ihrem Aussagegehalt nach dem dramatischen Werk zuzuordnen:

> Alle diejenigen, die das Eindringen der naturwissenschaftlichen Methode in der Literaturwissenschaft befürworteten, haben entweder ihren Irrtum bekannt, oder sie sind im Skeptizismus geendet, oder sie haben sich mit der Vorspiegelung von dem zukünftigen Erfolg der naturwissenschaftlichen Methode getröstet. (2)

Eine solche Methode erweist sich schon hinsichtlich des theoretischen Schrifttums als nicht praktikabel, weil sich der Dichter eine Vielzahl seiner Anschauungen tatsächlich introspektiv erarbeitet hat. Vielmehr erscheint es notwendig, die theoretischen Bezüge Hebbels zu den geistigen Grundströmungen seiner Zeit und zu der dramatischen Verwirklichung aufzudecken, wobei man nicht vergessen darf, daß dem Drama schließlich ein eigener Erlebnisbereich zukommt:

> Die unübersehbar vielfältige und verschiedenartige Erscheinungsfülle der empirischen Realität wird von vornherein auf diejenigen Bestandteile reduziert, die zur anschaulichen Vergegenwärtigung einer bestimmten Thematik und Problematik, gleichsam der beherrschenden Idee eines Dramas, dienlich und notwendig sind. (3)

Was die Charaktere des Dramas mit der Wirklichkeit verbindet, ist,

---

1) Manon Maren-Grisebach: Methode der Literaturwissenschaft. Bern 1970. S. 13.

2) R. Wellek/A. Warren: Theorie der Literatur. Frankfurt a.M 1971. S. 13.

3) Klaus Ziegler: Stiltypen des dt. Dramas im 19. Jh. In: Formkräfte der dt. Dichtung. Hrsg. von Hans Steffen. 2. durchgesehene Aufl., Göttingen 1967. S. 141 - 164. Hier: S. 146.

daß ihre Taten, Handlungsweisen und Motive dem Leben abgelauscht sind. Einerseits gut durchdachte Konstrukte des Dichters, "stellen (sie) sich aber auf der Bühne als wirkliche Menschen dar, die aus ihren eigenen Antrieben heraus handeln, eigene Ziele verfolgen und Verbindungen mit ihresgleichen einzugehen scheinen"[1].
Die Biographie gibt nur Hilfsmittel an, den elementar psychischen Erlebnisbereich des Dramas besser verstehen zu können, "schließlich können wir Biographie von dem Gesichtspunkt aus betrachten, daß sie Material zu einer systematischen Untersuchung der Psychologie des Dichters sowie des dichterischen Vorgangs liefert"[2].
Wellek und Warren differenzieren die psychologische Untersuchungsmethode nach folgenden Gesichtspunkten:
1. der psychologischen Charakterstudie des Dichters,
2. der psychologischen Analyse seines dichterischen Werdeganges,
3. der psychologischen Deutung der dramatischen Gestalten mit ihrem Aussagegehalt.
In einem weiteren Schritt gilt es, die Bezüge Hebbels zur zeitgenössischen Psychologie und reziprok die Einflüsse dieser psychologischen Strömungen auf das Gesamtwerk Hebbels aufzuzeigen. Als Bindeglied von Theorie und Praxis dient schließlich ein besonderes Kapitel, das uns demonstrieren soll, nach welchen Gesetzen und grundlegenden Anschauungen der Ästhetik das psychologische Material ins Drama transponiert worden ist.

---

1) Robert Petsch: Wesen und Form des Dramas. Halle 1945. Zur Technik der Figurenzeichnung. S. 309 - 321. Hier: S. 309.
2) Wellek/Warren: Theorie der Literatur. a.a.O. S. 73.

B) DIE PSYCHOLOGIE HEBBELS UND SEINER ZEIT

I) Hebbel in psychologischer Sicht

Ein wichtiger Ausgangspunkt der modernen Hebbel-Forschung ist die These von der zwiespältigen Persönlichkeit Hebbels. Eine charakterologische Studie über die "schizothyme Wesensart" gewisser Dichter befaßt sich mit der für diese Arbeit nicht unerheblichen Frage, wie sich diese Zwiespältigkeit in ihrer spezifischen Auswirkung auf das Künstlertum Hebbels zeigt:

> Überall wird man etwas spüren von der inneren Tragik der schizothymen Wesensart, von der Sehnsucht nach Harmonie, vom Nie-ganz-Zufriedensein dieser Menschen. Man braucht nur einige Namen zu nennen und man weiß, welche Menschenart hier gemeint ist. Shakespeare und Tasso, Kleist und Hölderlin, Grabbe, Hebbel, Grillparzer und viele andere gehören hierher. Bei allen diesen Dichtern findet man das Formelement besonders beachtet, man findet bei ihnen den Hang zum Problematischen und die Neigung zu Empfindsamkeiten und zum Unpersönlichmachen des persönlich Erlebten.(1)

Diese These wird von Hebbel selbst unterstrichen, wenn er über sich urteilt: "Es steckt eine Hölle von Reizbarkeit und Empfindlichkeit in mir (Ergebnis meines früheren Lebens, wofür, wie in so manchen Punkten, das jetzige bezahlen muß)..."(T 393)[2]
Was nun den empirischen Nachweis der modernen Charakterkunde betrifft, Hebbel sei "schizothym" gewesen, ist er für unsere Arbeit

---

1) Hubert Rohracher: Kleine Charakterkunde. 12. umgearbeitete und erweiterte Aufl., Wien/Innsbruck 1969. S. 41.

2) Hebbel hat uns zahlreiche Selbstanalysen hinterlassen, von denen die folgende noch erwähnenswert ist: "Es ist unbegreiflich, aber wahr: wie man sich im Traum in mehrere Persönlichkeiten auflöst, so kann man sich auch im Wachen in zwei Wesen zerspalten, die wenig voneinander wissen, ins eins, welches Fragen stellt und in ein anderes, wo ich bei heftigem Kopfweh in der Dämmerung auf- und abgehe und mir Selbst-Unterhaltung abzwinge, zum erstenmal lebhaft auf. Dabei fällt mir weiter ein, daß man dies wohl Nachdenken (einen Prozeß, den ich bisher nicht zu kennen glaubte) nennt. Die Sprache begräbt oft die Sachen; sie bezeichnet so obenhin und man meint, es sei nichts weiter dabei zu denken" (T 1355).

nur insofern von Interesse, als er uns Hinweise auf seinen theoretischen Denkansatz und die Modalität seines dichterischen Verarbeitens zu geben vermag.
Das Leben und die Erlebniswelt Hebbels ist schon von vielen Autoren eingehend analysiert und beschrieben worden. Wichtig sind folgende Stationen und Phasen seines Werdeganges: Armut, Einsamkeit und Schmerz, Glaubens- und Bildungskrise, die unglückliche Verbindung mit Elise Lensing und schließlich der dichterische und soziale Aufstieg.
In seiner Jugend sind es zunächst drei elementare Grunderfahrungen, die seine existentielle Not kennzeichnen: Sorge um das Dasein (Ich = Subjekt), Zweifel am Glauben (Welt = Objekt) und Bildungsnot (Wissen). Die moderne Hebbel-Forschung hat ausdrücklich darauf hingewiesen, daß das spannungsgeladene Verhältnis dieser drei Elemente überhaupt sein Denken und Dichten bestimmt hat: "Allenthalben wird mit Recht in den neueren Arbeiten vor allem die Bewegung von Hebbels Denken, der Prozeß seiner Auseinandersetzung mit der Welt und dem eigenen Selbst in den Vordergrund der Betrachtung gerückt..."[1]

Hebbel versucht seine Position zum Weltganzen zu ergründen, indem er zunächst das Ich zum zentralen Ausgangspunkt seiner Betrachtungen macht. Aber schon zu Beginn seines Tagebuches im Jahre 1835 stellt er fest, daß der Dichter ohne die Hilfe der Wissenschaft nicht auskommt: "Niemand verachte und verschmähe die Wissenschaft und am wenigsten der Dichter, der Repräsentant der Weltseele, in dem sich zugleich Schöpfung und Schöpfungsakt abspiegeln sollen; ich weiß wie mich meine unvollkommene, einseitige Bildung hemmt und stört..." (T 457)
Dieser Hinweis auf seine Bildungsproblematik erscheint uns deshalb so wichtig, weil er uns auf eine unzureichende Deutung seines Bildungsweges aufmerksam macht. In der Hebbel-Monographie Matthiesens heißt es nämlich: "Stolz behauptete er später: Ich habe seit meinem zweiundzwanzigsten Jahre (...) nicht eine einzige wirklich

---

1) Joachim Müller: Zur Struktur und Funktion von Hebbels Tagebüchern. a.a.O. S. 109.

neue Idee gewonnen. Er stellt seiner geistigen Ausbildung in Wesselburen damit ein glänzendes Zeugnis aus. Tatsächlich war der Rahmen seiner Weltanschauung gefügt, bevor er Dithmarschen verließ".[1] Diese Auffassung ist zweifellos richtig, soweit sie das Fundament des Hebbelschen Weltbildes betrifft; indem aber die Forschung ihren Blick zu einseitig auf die Entstehungszeit seines philosophischen Weltbildes richtete, vernachlässigte sie es, sein sich steigerndes Interesse an naturwissenschaftlichen Kenntnissen zu untersuchen.

Liepes Analyse der Jugendjahre Hebbels hatte zu der neuen Ansicht geführt, nicht Schelling und Hegel seien primär die geistigen Stammväter seines Weltbildes gewesen, sondern Schubert und Feuerbach. Sie weist schließlich auch auf eine frühe psychologische Beeinflussung hin:

> Hebbels gesamtes dichterisches Werk ist durchwirkt von solchen parapsychologischen Phänomenen. In Traum, prophetischer Vision und anscheinendem Wunder bemächtigt sich das allgemeine Leben des menschlichen Gemeingefühls und bricht durch die Oberfläche der Wirklichkeit als höhere Realität hindurch. (2)

Diese in erster Linie auf Hebbels Poesie zutreffende Forschungsergebnisse sind auch weitgehend auf das Dramatische hin bezogen worden. Die Vertiefung des Psychologischen im Drama wurde schließlich in vereinfachender Weise mit "Intuition" und "Phantasie" erklärt.

Als Hebbel sich entschließt, sich mehr dem Drama zuzuwenden[3], schreibt er in kurz aufeinanderfolgenden Notaten: "Ich bewerbe mich aber mit Ernst und Anstrengung um Kenntnis und Wissenschaft, weil sich in einem Jahrhundert, das nicht an den trojanischen Krieg grenzt, ohne Kenntnis und Wissenschaft kein Dichter, ja kein

---

1) Hayo Matthiesen: Hebbel-Monographie. a.a.O. S. 21.

2) Wolfgang Liepe: Die einsamen Kinder. In: Kieler Studien zur dt. Literaturgeschichte. Hrsg. von Erich Trunz. Neumünster 1963. Bd. II, S. 304 - 329. Hier: S. 311.

3) Dazu schreibt der Dichter: "Ich habe heute einen Entschluß gefaßt, zu dessen Ausführung Gott mir Kraft verleihe. Ich habe bisher all mein Tun und Treiben zu einseitig auf Poesie bezogen..." (T 746)

Schriftsteller, denken läßt..." (T 747)
Vermutlich ist das so plötzlich erwachte Interesse an den Wissenschaften auf die in dieser Zeit erfolgte Lektüre Lichtenbergs zurückzuführen. Den entscheidenden Anstoß erhielt er jedoch durch Thorwaldsen:

> Es gibt noch etwas, was über Wissenschaft und Kunst steht; das ist der Künstler selbst, der in sich die Menschheit in ihrer Gesamtkraft und ihrem Gesamtwillen und Streben repräsentieren soll. Daraus, daß der Dichter in einer Hinsicht mehr besitzt, folgt nicht, daß er in der andern weniger besitzen dürfe; eher das Gegenteil. Thorwaldsen hat gewiß jahrelang Anatomie und Osteologie studiert, bevor er seinen Jason schuf und schaffen konnte; der Dichter, der die unendlich schwierigere Aufgabe hat, die Seele in ihren flüchtigsten und zartesten Phasen zu fixieren, den Geist in jeglicher seiner oft bizarren Masken auf das Unvergängliche zu reduzieren und dies Unvergängliche (...) plastisch als Charakter hinzustellen, darf in keinem Gebiet fremd sein, was zu Seele und Geist in irgend einem Bezug steht, denn nur, wenn er das Universum (wozu tausend Wege führen, deren jeder gewandelt sein will, weil jeder einzelne nur in einen einzelnen Punkt ausläuft) in sich aufgenommen hat, kann er es in seinen Schöpfungen wiedergeben. (T 748)

Die Entwicklungsphase von 1835 bis Ende 1840 ist für die Psychologisierung seiner Dramen überhaupt die entscheidende. In dieser Zeit beschäftigt er sich nicht nur mit durchaus ernstzunehmenden psychologischen Studien, sondern festigt darüber hinaus sein Verhältnis zum Künstlertum, wenn auch in einer überhöhten - allerdings zeittypischen - Selbsteinschätzung: "Ich erachte sie (die Dichtkunst) für einen Geist, der in jede Form der Existenz und in jeden Zustand des Existierenden, hinuntersteigen, und von jener die Bedingnisse, von diesem die Grundfäden erfassen und zur Anschauung bringen soll" (T 538). Hebbel ist sich seines dichterischen Genies bewußt geworden: "Genie ist Bewußtsein der Welt"(T 648).

Obwohl sich Hebbel hier sehr positiv zu der Frage verhält, ob sich ein Dichter mit Wissenschaften auseinandersetzen muß, rückt er in späteren Jahren wieder die dichterische Intuition in den Vordergrund: "In die dämmernde, duftende Gefühlswelt des begeisterten Dichters fällt ein Mondstrahl des Bewußtseins, und das, was er beleuchtet, wird Gestalt"[1].

Das ständige Verlagern der Perspektiven, das dem theoretischen Werk Hebbels zugrundeliegt, läßt sich auch an seinem wechselseitigen Verhältnis zur Gottheit demonstrieren. Liepe verweist in diesem Zusammenhang auf die primäre Beeinflussung durch Schubert und Feuerbach, ebenso auf die Beweggründe des Dichters, ihre fundamentalen Ansichten zu teilen:

> Die Schöpfung bedeutet Entfernung von Gott, bedeutet die Zersplitterung ursprünglicher Einheit in die Vielfalt des Einzelnen. Dieser Gedanke war es, der Hebbel zutiefst ergriff. Denn er erklärte ihm das Grunderlebnis seines eigenen Daseins, das Erlebnis der Einsamkeit, als Schicksal der geschaffenen und damit gottfernen Welt. Leben heißt einsam sein. (2)

Bei Hebbel lassen sich zwei Stufen der Vereinsamung feststellen, wobei sich die zweite der ersten fast notwendig anschließt: auf Grund fehlender zwischenmenschlicher Bindungen wird die Einsamkeit zu einem persönlichen Existenzproblem, das vertieft und generalisiert auf einer höheren Stufe reflektiert wird: "Wer könnte existieren, wenn er nicht mit Gedanken und Gefühl in eine andere höhere Welt hineinragte" (T 1278).

Hebbel deutete seine Zeit als die der "Gottferne". Für ihn selbst bleibt die Gottheit jedoch existent, weil er seine Sehnsucht auf sie projiziert. Und wenn er seine Religiosität auf die Bemerkung stützt, "in der Wüste würde der größte Atheist ein Heiliger, bloß um Gesellschaft zu haben" (T 1317), so motiviert er den sehnsuchtsvollen Bezug zu Gott aus der Erkenntnis totaler Vereinsamung. Sehnsucht hieße dann für ihn Herleitung aus einem willensmäßigen Gerichtetsein auf Gott, um der Gefahr einer existenzgefährdenden Isolierung zu entgehen. Kierkegaard, der sich mit dem Problem beschäftigte, ob ein Dichter überhaupt religiös sein kann, geht davon aus, daß die "dichterische und philosophische Natur

---

1) T 2023. Wahrscheinlich ist Ziegler, bei der Behauptung, "die psychologische Wurzel, aus der Hebbels Theorien erwachsen, ist (...) die dunkel sprunghafte Intuition und Irratonalität des Unbewußten", von der Interpretation eines solchen Notats ausgegangen.

2) W. Liepe: Fr. Hebbel. Weltbild und Dichtung. a.a.O. S. 10.

(...) beiseite geschafft" werden muß, "damit der Mensch Christ werden kann"[1]. G. Gerster interpretiert Kierkegaard dahingehend: "Poeta und homo religiosus sind ein Entweder-Oder, eine von jedem Menschen verlangte Entscheidung. Man kann nicht Dichter sein und religiöser Mensch". Wenn sich also die Phantasie des Dichters in der Klarheit des Glaubens verliert, dann ist "Dichten (...) unglückliche Verliebtheit in Gott"[2].
Hebbels Auseinandersetzungen mit der Gottheit reichen bis in seine frühsten Jugendtage zurück. Er geht zunächst von dem traditionell christlichen Gottesbild aus. Dabei wird die Lehre von der Erbsünde zu einem zentralen Lebensthema: "Denn was tuts, ob das Kind, wenn es von der Erbsünde, oder von Tod und Teufel hört, an diese tiefsinnigen Symbole einen Begriff oder eine abenteuerliche Vorstellung knüpft; sie zu ergründen, ist die Aufgabe des ganzen Lebens..."[3] Sein Ringen um die Gottheit bewegt sich in einem diskursiven Denken, das durch sein rasch wechselndes Verhältnis zu den verschiedendsten geistigen Strömungen seiner Zeit bedingt ist. Im Jahre 1835 zeigt sich besonders dieses Hin- und Hergestoßenwerden zwischen konträren Auffassungen, einer atheistischen (Vgl. T 74) und einer pantheistischen (Vgl. T 77).
Hebbel hat die Gottheit zu einem privat-existentiellen Problem gemacht, denn "ein Gottesbegriff ohne die unmittelbare Beziehung auf den Menschen ist für Hebbel nicht akzeptierbar"[4]. Viele seiner Bezüge und Gedankenverbindungen zu den philosophischen Lehrauffassungen seiner Zeit sind deshalb nur als sehnsüchtiges Verlangen zu begreifen, sich Gott rational zu nähern.
Es ist ein Streben, das sich auf alle relevanten geistigen Gebiete expandiert, um die Ich-bezogene Stellung im Weltganzen zu ergründen, indem die Transzendenz gleichsam in die Immanenz des Ichs verlegt wird, "denn das Transzendente ist ja nunmehr in eine furchtbare Dialektik hineingezwungen worden, die ihren ersten

---

1) S. Kierkegaard: Der Gesichtspunkt für meine Wirksamkeit als Schriftsteller. Hrsg. von P.Chr. Kierkegaard. Kopenhagen 1859. Übersetzt von A. Dorner und Chr. Schrumpf. Jena 1922.
2) Georg Gerster: Die leidigen Dichter. Goethes Auseinandersetzung mit dem Künstler. Zürich 1954. S. 13.
3) Friedrich Hebbel. Werke. Hanser Ausgabe. Bd. III, S. 731.
4) Klaus Geißler: Das Bild der Gesellschaft. a.a.O. S. 501.

Ausgangspunkt in der Fragwürdigkeit des Menschen hatte"[1].
Die Gottheit ist Hebbel fremd und unbegreiflich, und was ihm bleibt, ist die Sehnsucht, "das leidenschaftliche Streben (...) nach absoluten Werten..."[2] Um sich der Gottheit nicht ganz zu entziehen, muß er sie personalisieren. Hier wird die Nihilismusthese einiger Interpreten sehr fragwürdig, denn "der geglaubte Gott", so sagt Jaspers, "ist der ferne Gott, der verborgene, der unerweisbare Gott"[3].

Aller Erfahrung von Einsamkeit[4] und der Erkenntnis, daß Gott und Mensch entzweit sind, liegt Schmerz zugrunde. Der Begriff Schmerz[5] nimmt bei Hebbel als primär metaphysisches Problem eine zentrale Stellung ein: "Die Sehnsucht nach Unsterblichkeit ist der fortbrennende Schmerz der Wunde, die entstand, als wir vom All losgerissen wurden, um als Polypen-Glieder ein Einzeldasein zu führen" (T 3736). Hebbel differenziert sorgfältig nach den spezifischen Erscheinungen seelischer und körperlicher Schmerzen: "Daß die Menschen so viel von Schmerzen und doch so wenig vom Schmerz wissen!" (T 687)

In der ersten Phase hat sich der Dichter mit dem Phänomen Schmerz auf Grund rein persönlicher Betrachtungen auseinandergesetzt, wobei der körperliche Schmerz ganz im Vordergrund stand: "Es ist für mich der größte Schmerz, gewisser kleinlicher Schmerzen fähig zu sein. Daß ich es bin, ist die Folge meiner Kindheit- und Jugend-Jahre" (T 1053).

---

1) Benno von Wiese: Die deutsche Tragödie von Lessing bis Hebbel. a.a.O. S. 569.

2) Peter Michelsen: Das Paradoxe als Grundstruktur Hebbelschen Denkens. In: Hebbel in neuer Sicht. a.a.O. S. 81.

3) Karl Jaspers: Einführung in die Philosophie. München 1961. S. 49.

4) Notate zum Begriff Einsamkeit: T 484, T 516, T 1317, T 1352, T 3973, T 6172.

5) Notate zum Begriff Schmerz: T 25, T 250, T 480, T 525, T 575, T 687, T 766, T 1002-04, T 1008, T 1053, T 1107, T 1314, T 1322, T 1407, T 1413, T 1429, T 1457, T 1473, T 1482, T 1509, T 1527, T 1533, T 1621, T 1811, T 1837, T 1906, T 1915, T 2082, T 2294, T 2488, T 2535, T 2566, T 2598, T 2662, T 2804, T 2808, T 2836, T 2932, T 2942, T 2956, T 3395, T 3402, T 3441, T 3445, T 3453, T 3457, T 3544, T 3672, T 3720, T 3736, T 3759, T 3786, T 3986, T 3990, T 4019a, T 4083, T 4137, T 4558, T 4681, T 5025, T 5423, T 5539, T 5637, T 5831, T 5873.

Mit dem Studium der "Philosophie des Schmerzes" bei Schelling kommt Hebbel schließlich zu der Ansicht: "Schmerz ist etwas Positives" (T 1915). Schelling sah in dem Phänomen des seelischen Schmerzes eine produktive Kraft, die für den Menschen allgemein und notwendig "der unvermeidliche Durchgangspunkt zur Freiheit"[1] ist. Noch zu Beginn des Jahres 1842 hält Hebbel den Begriff Schmerz für undefenierbar (Vgl. T 2488), liefert aber einige Wochen später die Definition: "Jeder Schmerz entsteht aus Aufhebung des Gleichgewichts und der Harmonie; er ist als das das Gemeingefühl überragende Einzelgefühl des Teils zu definieren" (T 2566).

Das von Schmerz, Einsamkeit und Sehnsucht erfüllte Leben Hebbels sublimiert sich schließlich in der "Judith", seiner ersten dramatischen Bearbeitung: "Die Vision von der Jungfrau der Schönheit hat in der Seele des zu sich selbst erwachenden Jünglings mehrfachen Ursprung. Sie ist Phantasiegebilde jener männlichen Liebesreife und zugleich Sehnsuchtsprojektion seines erwachenden Künstlertums"[2]. Schon Freud hatte auf eine Deutung Sadgers hingewiesen, die Hebbels Vorliebe für die Themen "Weib" und das Verhältnis der beiden Geschlechter zueinander demonstrierte.
Einige Grundkomponenten seines Künstlertums lassen sich aus einer chronologischen Analyse seiner psychischen Verhältnisse abheben. Aus einzelnen Zuständen, in die sich der Dichter von früh auf persönlich verstrickt sieht und die sich in einzelnen durchaus konkret erfaßbaren Begriffen wie Armut, Einsamkeit, Sehnsucht, Liebe usw. niederschlagen, erwachsen im Laufe der Jahre jene existentiellen Konflikte, die in seinen Dramen zu bestimmenden Faktoren werden: die existentielle "Nothaftigkeit" der Charaktere, der Geschlechtergegensatz, die Glaubensnot oder die tragische Prädetermination des Menschen überhaupt.

---

1) Fr.W.J. Schelling: Werke. Hrsg. von Manfred Schröter nach der Originalausgabe des 1927 erschienen Jubiläumsdruckes. München 1965. Bd. IV, Teil II, S. 711.

2) Sigmund Freud: Gesammelte Werke. Aus den Jahren 1917 - 1920. 3. Aufl., 1947 Imago Publishing Co., Ltd., London. Fotomechanischer Nachdruck, Frankfurt a.M., Bd. XII, Das Tabu der Virginität. S. 161 - 180. Hier: S. 179.

II) Hebbels Bezüge zur zeitgenössischen Psychologie

Es lassen sich zunächst zwei Phasen unterscheiden, in denen sich Hebbel um die psychologische Erarbeitung der Wesensbestimmung des Menschen bemüht: in der Anfangsphase stellt der Dichter das eigene Selbst in den Mittelpunkt seiner Betrachtungen und wird durch die Psychologie Schuberts entscheidend beeinflußt. Die zweite Phase von 1835 bis Ende 1840 ist durch die Lektüre psychologischer Romane sowie naturphilosophischer und anthropologischer Schriften gekennzeichnet. Natürlich treten die einzelnen Phasen mit ihren Sonderformen methodischer Erarbeitung seiner Psychologie nicht streng voneinander gesondert auf, aber sie sind in diesem Ablauf für die Entwicklung Hebbels charakteristisch: von der reinen Introspektion, dem sokratischen "erkenne dich selbst", bis zum Studium des psychologischen Schrifttums.

Die zweite Phase ist gerade deshalb von besonderer Bedeutung, weil sie die wichtigsten psychologischen Erkenntnisse enthält, die sich nach der Bearbeitung der "Judith" und ihrer Vollendung im Jahre 1840 nicht mehr entscheidend ändern. Die These, "daß alle Motive (...) in seinem Erstlingswerk bereits vorhanden"[1] sind, bestärkt uns schließlichlich in der Ansicht, daß wir die "Judith" als Grundkonzeption seines dramatischen Schaffens betrachten können.

Hebbels Interesse an der Psychologie läßt sich auf Grund der Analyse von Hebbels Jugendgedichten durch Liepe auf das Jahr 1928 zurückdatieren, in dem er sich mit der Naturphilosophie Schuberts auseinandersetzt. Gotthilf Heinrich Schubert (1780 - 1860), ein Anhänger Schellings, erlangte auf psychologischem Gebiet Anerkennung, da er "ganz besonders die Tiefenkräfte der Seele untersucht.

---

1) Martin Schaub: Friedrich Hebbel. a.a.O. S. 22. Matthiesen modifiziert die Bedeutung der "Judith" in Hinblick auf seine späteren Tragödien: "Mit dem Verhältnis Judith-Holofernes gestaltete Hebbel ein zentrales Problem seines gesamten Schaffens, den Gegensatz zwischen Mann und Frau". Hayo Matthiesen: Hebbel-Monographie. a.a.O. S. 47.

Er interpretiert das Leben der Träume, widmet sich dem tierischen Magnetismus und beschreibt Ahndungen einer allgemeinen Geschichte des Lebens auf der Grundlage eines fast mystisch zu nennenden Panpsychismus"[1].

Eine unterschiedliche Beeinflussung des Dichters durch Schubert und Feuerbach zeigt sich darin, daß die Schriften Schuberts sowohl das Welt- als auch das Menschenbild Hebbels mit detaillierten psychologischen Anschauungen anreichern; Feuerbach dagegen führt den Dramatiker in stärkerem Maße auf eine komplexe Philosophie des Tragischen hin: "In der Ideenwelt des jungen Feuerbach eröffnete sich dem jungen Dichter der erste Tiefenblick in die Tragik des individuellen Lebens, in das Wesen der Geschichte, in die metaphysische Bedeutung des Todes"[2].

Hebbel hat in späteren Jahren weder Schubert noch Feuerbach in seinen Tagebüchern mit einem einzigen Hinweis erwähnt. Warum er das nicht tat, darüber existieren mehrere Theorien, die im Grunde aber immer wieder auf das dominierende Motiv der Bildungsnot zurückgreifen. Hebbels unaufrichtiges Bekenntnis, "ich habe seit meinem 22sten Jahre, wo ich den gelehrten Weg einschlug und alle bis dahin versäumten Stationen nachholte, nicht eine einzige wirklich neue Idee gewonnen"[3], ist von der Forschung weitgehend entkräftet worden. Anni Meetz hat hinsichtlich der fehlenden Quellenangaben mit Recht darauf hingewiesen, daß Hebbel von der "Klippschule" her nicht wissen konnte, was zu einem geordneten Weiterstudieren gehört. Diese These scheint fundierter zu sein als die Präformierungstheorie, die, obwohl sie auf manche Fälle zweifellos zutrifft, allzu stark von Vermutungen ausgeht. Deshalb vertreten wir hier die Theorie von der geistigen Inkorporation als einer mehr oder weniger bewußten Übernahme fremden Gedankenguts.

---

1) Wilhelm Hehlmann: Geschichte der Psychologie. a.a.O. S.121.

2) Wolfgang Liepe: Hebbel und Schelling. In: Beiträge zur Literatur- und Geistesgeschichte. S. 193 - 258. Hier: S. 199.

3) Friedrich Hebbel: Werke. Hanser Ausgabe. Bd. III, S. 761. Hebbel selbst gibt uns einen deutlichen Hinweis auf seine Bildungsnot: "Ich fühlte mich im höchsten Grade unglücklich, weil ich nach höherer Ausbildung dürstete, machte auch die abenteuerlichsten Versuche, mich aus der drückenden Lage zu befreien, sah aber alle mißlingen".

Besitzen wir für die Lektüre Schuberts und Feuerbachs keine konkreten Hinweise, so doch für eine Vielzahl anderer Autoren, auf die er zuweilen selbst hingewiesen hat oder die durch die Forschung ermittelt worden sind.
Schubert hat sicherlich das philosophisch-psychologische Fundament des Hebbelschen Welt- und Menschenbildes in starkem Maße beeinflußt, aber "in ähnlicher Weise wie früher aus Schubert hat Hebbel späterhin - und weit mehr, als die Forschung es bisher wahrhaben wollte - aus Schelling geschöpft"[1]. Die zweite Phase (1835 - 40) seiner Entwicklung steht zwar tatsächlich ganz im Zeichen Schellings, doch bleibt Hebbel für alle wissenschaftlichen Ansätze offen, indem er sich auch dem anthropologischen und psychologischen Schrifttum seiner Zeit zuwendet. Zunächst befaßt er sich mit Alexander von Humboldts "Ansichten der Natur", einem Werk, das in wechselseitiger Perspektive Naturwissenschaft und idealistische Philosophie zu vereinen sucht. Eine solche Betrachtungsweise ist schließlich auch für Hebbels theoretisches Schrifttum kennzeichend.
Im Jahre 1836 setzt sich Hebbel mit Kerners "Die Seherin von Prevorst", Jacobis philosophisch-theologischer Schrift "Von den göttlichen Dingen und ihrer Offenbarung" und seinem psychologischen Roman "Woldemar" auseinander. Er interessiert sich vor allem für das Werk des schwäbischen Arztes und Dichters Andreas Justinus Kerner (1786 - 1862), da es das Seelenleben des Menschen aus metapsychologischer Sicht zu analysieren versucht.
Mit Jacobi (1743 - 1819) teilt Hebbel die Ansicht, daß der Mensch nur durch Gefühl und Glauben zur wahren philosophischen Erkenntnis gelangen kann. Aber obwohl der Dichter in einigen grundsätzlichen theosophischen Anschauungen mit Jacobi übereinstimmt, geht er nicht näher auf seine lebens- und existenzphilosophischen Ansätze ein, die schließlich die Psychologie des Jenaer Professors J.F. Fries in nicht unerheblichem Maße beeinflußt haben. Vielmehr richtet er sein ganzes Interesse auf die Lektüre seines psycho-

---

1) Wolfgang Liepe: Der Schlüssel zum Weltbild Hebbels: Gotthilf Heinrich Schubert. In: Beiträge zur Literatur- und Geistesgeschichte. a.a.O. S. 141.

logischen Romans "Woldemar", die ihn über einen langen Zeitraum beschäftigte.

Hebbel liest im gleichen Jahr Friedrich Hufelands psychologische Abhandlung "Über Sympathie". Der Dichter teilt zwar die Ansicht Hufelands, daß der Mensch die "Fähigkeit" habe, "in ein sympathetisches Verhältnis zu treten"[1], führt diese Fähigkeit aber auf "einen tiefpsychologischen Grund" zurück, der letztlich im Glauben wurzelt, denn "der Glaube ist weniger passiv, und weit mehr aktiv, als man denkt; er mag geistig die Kräfte der Wünschelrute, die anzeigt, und des Magneten, der anzieht, in sich vereinen"(T 515).

Zu Beginn des Jahres 1837 beschäftigt er sich mit Platners (1744 - 1818) "Philosophische(n) Aphorismen", einem Werk, das sowohl spekulative wie empirische Lehrmeinungen zeitgenössischer Psychologie und Philosophie in sich vereinigt. Hebbel setzt sich in erster Linie mit seiner streng nach Vernunft und Verstand differenzierenden Anschauungsweise, die "vor Wolf wenig bekannt, und vor Kant wenig geachtet war" (T 588), auseinander. Platners Charakterlehre scheint Hebbel dagegen nur am Rande interessiert zu haben.

Ein wesentlich größerer Einfluß auf Hebbels theoretische Reflexionen über die Lebensverhältnisse des Menschen geht von Jean J. Rousseau (1712 - 1778) aus. Hebbel widmet sein Interesse vor allem der "Nouvelle Héloïse", einem Literaturdenkmal psychologisierender Erzählart, dessen nachhaltige Wirkung auf Hebbel schon von Paul Sickel erkannt wurde: "Viel tiefer mußte unsern Dichter der Geist Rousseaus ergreifen... In München vertiefte er sich in die Nouvelle Héloise und gewann gleich zu Anfang ein klares Verhältnis zu ihrem Verfasser"[2]. In dieser psychologischen Studie findet Hebbel drei elementare Anschauungen, die er grundsätzlich teilt:

---

1) Friedrich Hufeland: Über Sympathie. Weimar 1811.

2) Paul Sickel: Friedrich Hebbels Welt- und Lebensanschuung. Nach den Tagebüchern, Briefen und Werken des Dichters. In: Beiträge zur Ästhetik XIV, Hamburg 1912. S. 185. Friedell hebt folgende Themen der "Nouvelle Heloise" hervor: "In dieser Seelenschilderung tritt zum erstenmal die Liebe des modernen Empfindungsmenschen als wirkliche Leidenschaft, als tragische Katastrophe, übermenschliche Fatalität und elementare Urkraft". Egon Friedell: Aufklärung und Revolution. München 1961. S. 82.

die Darstellung des Geschlechtergegensatzes, die Ablehnung des Rationalismus und die Methode der Selbstbetrachtung.
Ebenso kritisch und scharfsinnig wie Rousseau geht der Graf von Benzel-Sternau in seiner Biographie "Das goldene Kalb" auf die Verhältnisse seiner Zeit ein, so daß Hebbel begeistert schreibt: "Tiefste Kenntnis der Verhältnisse, namentlich der Weiber, erstere wohl durch Genie, letztere durch Erfahrung gewonnen" (T 614).
Ein weiterer Zeitgenosse Rousseaus, Georg Christoph Lichtenberg (1742 - 1799), analysiert dagegen die Verhältnisse des ausgehenden Aufklärungszeitalters in vorwiegend sarkastischer Diktion.
Hebbel zeigt sich besonders an "jener edlen Gift-Einsaugungskunst" interessiert, "deren Lichtenberg in seinen Schriften gedenkt" (T 672). Lichtenbergs nicht unwichtige Position innerhalb der empirischen Psychologie wird von Friedell so erklärt:

> Die Seelenprüfung wird zum erstenmal wissenschaftlich beschrieben, als Zweig der empirischen Menschenkunde, freilich nicht in Form physikalischer Messungen und logarithmischer Reihen, die nie in die Tiefe führen, sondern wissenschaftlich durch den Geist der Objektivität und Exaktheit. Lichtenberg ist der Meister der kleinen Beobachtungen und seine Spezialität die psychologische Integralrechnung; er ist gleichsam ein praktischer Leibnizianer, der die perceptions petites, deren Existenz Leibniz theoretisch entdeckt hatte, nun auch tatsächlich überall in der Wirklichkeit aufzuspüren und zu beschreiben weiß. (1)

Mit Lichtenberg fühlt sich Hebbel vor allem durch dessen strikte Ablehnung der physiognomischen Lehren Lavaters verbunden, "und wenn auch Lichtenberg die "Fragmente" Lavaters in beißender Satire kritisiert, so liefert er selber doch manchen psychologischen und physiognomischen Hinweis..."[2]
Von besonderer Bedeutung sind auch die philosophischen und sprachpsychologischen Einflüsse, die von Johann Georg Hamann (1730 - 1788) auf das theoretische und dramatische Werk Hebbels ausgehen.

---

1) Egon Friedell: Aufklärung und Revolution. a.a.O. S. 46.
2) Wilhelm Hehlmann: Geschichte der Psychologie. a.a.O. S. 114.

Hamann gehört wie Jacobi und Rousseau zu den Autoren, die das Gedankengut der Aufklärung heftig kritisieren und das Primat des Erkenntnisvorganges dem Gefühl und Gemüt zusprechen. Hebbel befaßt sich in erster Linie mit seinen sprachpsychologischen Ansätzen, die auf Grund ihrer tiefenpsychologischen Perspektive neue sprachwissenschaftliche Dimensionen eröffnen:

> Er schuf sich, in der leidenschaftlichen Überzeugung, daß unsere tiefsten Seelenregungen sich in der Region des clair-obscur vollziehen, eine völlig neue Sprache, die, ganz Ahnung, Geheimnis und Andeutung, von einer bis dahin unerklärten Suggestionskraft, freilich auch an vielen Stellen von einer fast undurchdringlichen Dunkelheit war. (1)

Obwohl sich Hebbel in zahlreichen Notaten mit den sprachpsychologischen Ansätzen Hamanns beschäftigt und sich besonders seinen begrifflichen Differenzierungen widmet (Vgl. T 231), wendet er sich in späteren Jahren gegen ihn: "Er ist ein merkwürdiges Individuum, aber auch weiter nichts. Die Wissenschaft hat in ihm keinen neuen Knoten gesetzt. Man kann ihn übergehen und wird es tun, wie man es getan hat" (T 2606).

Einen relativ geringen Einfluß haben die Schriften von Karl Philipp Moritz (1757 - 1793) auf Hebbel ausgeübt. Moritz gilt zwar als Vorläufer der empirischen Psychologie, da in seinem "Magazin zur Erfahrungsseelenkunde" "Erfahrung und nicht Spekulation, Fakten und kein moralisches Geschwätz"[2] zur Darstellung kommen sollen, beschränkt sich aber ausdrücklich auf eine Sammlung von bestimmten Fällen. Obwohl zwischen dem Lebensweg des Protagonisten seines psychologischen Romans "Anton Reiser" und dem Hebbels einige erstaunliche Parallelen festzustellen sind, geht er nicht näher auf seine Schriften ein.

Weitaus nachhaltiger ist Hebbel von dem norwegischen Anthropologen und Dichter Henrik Steffens (1773 - 1845) beeinflußt worden. Als sich Hebbel im Jahre 1838 mit dessen umfangreichen Schriften auseinanderzusetzen beginnt, steht er den psychologi-

---

1) Egon Friedell: Aufklärung und Revolution. a.a.O. S. 103.
2) Wilhelm Hehlmann: Geschichte der Psychologie. a.a.O. S. 109.

schen Theorien Steffens' skeptisch gegenüber. Er kritisiert an seiner Anthropologie", sie sei "weit mehr ein Werk kühner Phantasie, als ruhigen Verstandes" (T 1447), und erklärt sie daher für seine Zwecke als "nicht brauchbar" (T 1381). Erst in seiner literaturphilosophischen Abhandlung "Die Karikaturen des Heiligsten" findet er jenes Gedankengut, das ihm interessant und brauchbar erscheint, zumal es in seinen inhaltlichen Grundzügen der Naturphilosophie Schellings folgt. Ein noch größerer Einfluß ist zweifellos von Steffens "Memoiren" ausgegangen, da Hebbel durch dieses zehnbändige Werk mit der Fülle und dem Reichtum romantischen Denkens vertraut gemacht wurde. Aber auch Steffens' Novellen haben ihn tief beeindruckt; daher fällt das Urteil Hebbels über den norwegischen Schriftsteller - trotz einiger kritischen Anmerkungen - positiv aus:

> In ihm ist eigentlich schon die ganze jüngste Generation mit ihren Raffinements und ihrer Sucht nach Pikantheit vorgebildet. Herrliche Beschreibungen, treffliche Gedankenreihen, glänzende Bilder fehlen ihm nicht, aber die poetische Schöpfungskraft ist gering... (T 1730)

Etwa zur gleichen Zeit, als sich Hebbel in die Schriften des Norwegers vertieft, beginnt er mit der Lektüre von Novalis' Fragmenten", aus denen er zahlreiche wissenschaftliche Anschauungen übernimmt. Novalis (1772 - 1801), der von einigen Autoren als das alle überragende Genie der romantischen Schule angesehen wird, versuchte "das Irrationale und Gefühlshafte des menschlichen Daseins einzufangen"[1]. Hebbels Gesamturteil über Novalis zeugt schließlich von echter Begeisterung:

> Novalis hatte die wunderliche Idee, weil die ganze Welt poetisch auf ihn wirkte, die ganze Welt zum Gegenstand seiner Poesie zu machen. Es ist ungefähr ebenso, als wenn das menschliche Herz, das sein Verhältnis zum Körper fühlt, diesen ganzen Körper einsaugen wollte. Jean Paul nennt Nov.(alis) mit Recht einen poetischen Nihilisten; Menzel in seiner Literatur-Geschichte weiß ihn nicht genug zu erheben. (T 1711)

---

1) ebd. S. 120.

Als sich Hebbel im Jahre 1841 mit Kants (1724 - 1804) "Anthropologie in pragmatischer Hinsicht" und Hegels "Ästhetik" auseinanderzusetzen beginnt, befindet er sich bereits in der dritten und letzten Phase seiner Entwicklung. Die dritte Phase ist für unsere Analyse deshalb von untergeordneter Bedeutung, da die fundamentalen Ansichten hinsichtlich seines Welt- und Menschenbildes schon in der ersten und zweiten Phase durch die Einflüsse Schuberts, Feuerbachs, Schellings, Solgers usw. fixiert worden sind. Obwohl viele Interpreten darauf hingewiesen haben, daß der Dichter in starkem Maße von Hegel beeinflußt wurde, ist diese Behauptung nur bedingt richtig, da sich der Dichter auf der einen Seite erst relativ spät mit Hegels "Ästhetik" beschäftigt, andererseits einen Einfluß Hegels auf sein Werk überhaupt bestritten hat. Horst Siebert hat diese These der Hebbel-Forschung weitgehend revidiert: "Die Abhängigkeit von Hegel, der ihn nur vorübergehend und auch dann nicht entscheidend beeinflußt hat, bestreitet Hebbel mit Recht"[1]. Dieser Irrtum der Forschung ist auf die fehlende Kenntnis dessen zurückzuführen, daß Hebbel bereits durch die Lektüre von Solgers "Nachgelassenen Schriften und Briefwechsel" mit Hegels ästhetischen Anschauungen vertraut gemacht wurde und daß Hegel die Naturphilosophie Schellings ohne bedeutende Korrekturen inkorporiert hatte.

Hebbels Interesse an wissenschaftlichen Erkenntnissen tendiert in der dritten Phase noch weit mehr als in früheren Jahren zur empirischen Psychologie und Physiologie: "Ich will jetzt Physiologie studieren und zwar ernsthaft" (T 2514). Dieses Interesse läßt sich nicht nur an Hand seiner geistigen Auseinandersetzungen mit den Schriften und Lehrmeinungen Hampels, Albrecht von Hallers,

---

1) Horst Siebert: Die dualistischen Weltdeutungen Hebbels und Solgers im Gegensatz zu Hegels dialektischer Philosophie. In: HJ 1965. S. 156 - 163. Hier: S. 162. Siebert schreibt weiter: "Hebbel sieht in Hegel nur den nüchternen spekulativen Denker, für den die Kunst lediglich eine untergeordnete Rolle in einer philosophischen Weltkonstruktion einnimmt". (S. 157). Der Autor irrt aber mit der These: "Hebbels Weltanschauung und seine Kunsttheorien sind die Ergebnisse eines geistig unabhängigen Denkers, für den fremde Gedanken lediglich Anregungen zu eigenen Überlegungen bedeuten konnte" (S. 162).

Holbachs und Helvetius', Johannes Müllers und Chr. W. Hufelands demonstrieren, sondern auch durch einen Hinweis auf seine Freundschaft mit Brücke und Feuchtersleben, dessen Werke er sogar 1853 edierte.

Aber obwohl sich der Dichter immer um exakte wissenschaftliche Erkenntnisse bemüht, bleibt er der romantischen Naturphilosophie und ihrer spekulativen Psychologie stärker verhaftet. Im Jahre 1842 liest er Burdachs "Der Mensch nach den verschiedenen Seiten seiner Natur" und fühlt sich 1847 durch Carus in seinen psychologischen Grundanschauungen bestätigt, indem er auf dessen 1846 erschienenes Hauptwerk "Psyche. Zur Entwicklungsgeschichte der Seele" hinweist: "Seit einigen Tagen im Verein die Psyche von Carus gelesen. Ein höchst vortreffliches Werk, das sich an viele meiner Gedanken bequem anschließt und andere erweitert oder schärfer begrenzt" (T 4127). Hebbel beschäftigt sich schließlich noch in seinem Todesjahr mit Schopenhauers "Metaphysik der Geschlechtsliebe". Schopenhauer wendet sich mit aller Schärfe gegen den mechanistischen Materialismus und betrachtet die Welt aus anthropozentrischer Perspektive. Er findet zwar in vielen Punkten die Zustimmung Hebbels, vermag aber natürlich nicht mehr dessen Werk zu beeinflussen.

ÜBERSICHTSTAFEL

Autoren	Werke	Aussagen
1. Phase (1828 - 1834)		
G.H. Schubert (1780 - 1860)	"Symbolik des Traumes", "Die Geschichte der Seele", "Lehrbuch der Menschen- und Seelenkunde", "Ansichten von der Nachtseite der Naturwissenschaft", Ahndungen einer allgemeinen Geschichte des Lebens"	Deutungen der Tiefenkräfte der Seele, der Träume, des tierischen Magnetismus auf der Basis eines Panpsychismus
L. Feuerbach (1804 - 1872)	"Das Wesen des Christentums", "Das Wesen der Religion"	In seinem religiösen ist der Mensch von sich entfremdet, anstelle der Gottesliebe die Menschenliebe
2. Phase (1835 - 1840)		
A. v. Humboldt (1769 - 1859)	"Ansichten der Natur"	Die Welt als belebter Organismus: Vereinigung von Naturwissenschaft und Idealismus
T 255, T 1256, T 1265, T 1403, T 1412, T 4852, T 5808, T 5913, T 6081, B 27.5.1847		
J.J. Rousseau (1712 - 1778)	"Julie ou la novelle Héloise", "Emile", "Confessions"	Lehre vom Menschen als beseeltes Wesen im Gegensatz zum französischen Rationalismus
T 593, T 595, T 1357, T 2515, T 3019, T 3209, T 4639, T 5257, T 5445, B 5.10.1843		
F.W. Schelling (1775 - 1854)	"Ideen zu einer Philosophie der Natur", "System des transzendentalen Idealismus", "Über das Wesen der menschlichen Freiheit"	Natur und Geist als scheinbarer Gegensatz; Polaritätsprinzip
T 465, T 552, T 1431, T 1469, T 1546, T 2322, T 5540, B 3.9.1836, B 16.6. 1848		

Autoren	Werke	Aussagen
A.J. Kerner (1786 - 1862)	"Die Seherin von Prevorst"	Lehre vom Psychismus; Beschreibung von Zuständen der Besessenheit,des Somnambulismus und Magnetismus
T 369, T 370, T 650, T 659, T 1318, T 1651		
K.Ph. Moritz (1757 - 1793)	"Magazin zur Erfahrungsseelenkunde", "Anton Reiser"	Empirische Behandlung der Psychologie; Erfahrung und Fakten (Fälle)
T 273, T 274, T 962		
E. Platner (1744 - 1818)	"Philosophische Aphorismen"	Hinweise auf den dynamischen Charakter der geistigen Vorgänge; Charakterstudien
T 588		
J.G. Hamann (1730 - 1788)	"Schriften zur Sprache"	Die Sprache als lebendiger Ausdruck des geschichtlichen Entwicklungsprozesses
T 231, T 679, T 804, T 2252, T 2597, T 2606, T 3250, T 5455, B 12.4.1844		
F.H. Jacobi (1743 - 1819)	"Von den göttlichen Dingen und ihrer Offenbarung", "Woldemar", "Allwill"	Die wahre Philosophie basiert auf Gefühl und Glauben; psychologische Romane
T 449, T 450, T 453, T 530, T 531, T 532, T 533, T 534, T 860, T 1282, T 3250, T 3271, B 14.12.1854		
G.Ch. Lichtenberg (1742 - 1799)	"Göttinger Taschenkalender"	Kritik an den physiognomischen Lehren Lavaters; Methode der Selbstbetrachtung
T 655, T 656, T 657, T 663, T 672, T 2948, T 3112, T 3805, T 6057		
K.F. Solger (1780 - 1819)	"Nachgelassene Schriften und Briefwechsel"	Abkehr vom Idealismus. Geht in seiner Ästhetik von Schelling und Hegel aus.
T 988, T 996, T 998, T 1239, B 1.6.1858, B 31.12.1859		

Autoren	Werke	Aussagen
Benzel-Sternau (1767 - 1849)	"Das goldene Kalb"	Beschreibung und Analyse der zeitlichen Verhältnisse
T 614		
F. Schlegel (1772 - 1829)	"Philosophie des Lebens"	Das Irrationale und Gefühlshafte des menschlichen Daseins
T 955, T 1109, T 1131, T 2265, T 5891, B 4.12.1842		
H. Steffens (1773 - 1845)	"Anthropologie", "Die Karikaturen des Heiligsten", "Die gegenwärtige Zeit und wie sie geworden", "Was ich erlebte"	Psychologie als Erfahrungswissenschaft; genetische Methode; beschreibt die Grundideen der Romantik
T 1347, T 1381, T 1730, T 2338, T 2379, T 2385, T 2692, T 3710, T 4071, T 4343, B 4.12.1842, B 21.11.1843, B 2.1.1844		
J.G. Herder (1744 - 1854)	"Zur Philosophie der Geschichte der Menschheit", "Auch eine Philosophie der Geschichte zur Bildung der Menschheit"	Dynamische Psychologie; Lehre von der Individualität; der ganzheitliche Mensch
T 344, T 576, T 679, T 944, T 1114, T 2001, T 2220, T 2597, T 3914, T 3931, B 17.1.1837		
Novalis (1772 - 1801)	"Fragmente"	Philosophie des "magischen Idealismus"; psychologische und pathologische Ansichten
T 174 f, T 1843, T 2032, T 1852, T 2188, T 2782		

<u>3.Phase (1841 - 1863)</u>

Autoren	Werke	Aussagen
Ch. Hufeland (1762 - 1836)	"Makrobiotik oder die Kunst das menschliche Leben zu verlängern"	Medizinische Lehren der Homöopathie und Diätetik
T 2360, T 4852		
I. Kant (1724 - 1804)	"Anthropologie in pragmatischer Hinsicht"	Der Mensch als moralisches, Sinnes- und Vernunftswesen
T 451, T 588, T 2276, T 3037, T 3050, T 3735, T 3886, T 3895, T 3898, T 3927, T 4112, T 5176, T 5468, B 24.12.1855		

Autoren	Werke	Aussagen
G.W.F. Hegel (1770 - 1831)	"Phänomenologie des Geistes", "Ästhetik"	Dynamische Ichphilosophie; der Geist ist das Wissende; Prinzip der Dialektik
T 2105, T 2322, T 3088, T 3256, T 3290, T 3674, T 3924, T 3934, T 3978, T 4066, T 4945, T 5318, T 5891, T 6273, B 4.12.1842, B 6.3.1849, B 19.4.1851		
C.G. Carus (1789 - 1869)	"Psyche. Zur Entwicklungsgeschichte der Seele", "Symbolik der menschlichen Gestalt"	Lehre vom Bewußten und Unbewußten; der Schlüssel zur Erkenntnis liegt in der Region des Unterbewußtseins
T 4130, B 24.3.1847		
J.K. Lavater (1741 - 1801)	"Lehre von der Physiognomik"	Verschiedene Anschauungsweisen der äußeren Individualität
T 5445		
K.F. Burdach (1776 - 1847)	"Der Mensch nach den verschiedenen Seiten seiner Natur"	Naturphilosophische und anthropologische Betrachtungen des menschlichen Wesens
T 2570		
P.H. Holbach (1723 - 1789)	"System der Natur"	Mechanistisch-materialistische Psychologie
B 23.5.1857		
A. Schopenhauer (1788 - 1860)	"Die Welt als Wille und Vorstellung"	Primat des Wollens; sekundäre Motivation; anthropologische Betrachtung der Welt
T 6140, B 31.8.1862		

III) Die Psychologie des Tragischen

Das Weltbild Hebbels erscheint als Konglomerat mannigfaltiger psychologischer und philosophischer Teilaussagen und -erkenntnisse. Die Möglichkeit, sein Weltbild geschlossen darzustellen, ergibt sich nicht nur aus dem Zusammenklauben seiner theoretischen Fundamentalaussagen oder gar einer immanenten Deutung seiner Tragödien, sondern auch aus einem Vegleich mit der Naturphilosophie Schellings, insbesonders mit seinem "System des transzendentalen Idealismus". Der Thematik und Problematik des Hebbelschen Weltbildes selbst zu folgen, stößt jedoch auf einige Schwierigkeiten.

> Wir wollen es nicht verkennen, Hebbels Versuche, das Wesen der Tragödie zu durchdenken, mochten weitgehend in einer autodidaktisch angeeigneten idealistisch-philosophischen Formelsprache befangen bleiben, seine Moralisierung des entwicklungsgeschichtlichen Vorganges verdeckte ihm noch einmal den unerbittlichen Ernst der von ihm selbst schon vollzogenen Entscheidung; aber trotz allem dringt dieses bohrende Denken weit darüber hinaus bis auf den religiösen Lebensgrund seiner Tragödien. Um das angemessen zu verstehen, genügt jedoch nicht allein das tiefere Eindringen in den verwegenen und paradoxen Sinn seiner Terminologie, sondern es bedarf vor allem der Versenkung in Hebbels eigene tragische Dichtung, die von idealistischen Voraussetzungen aus nicht mehr ausreichend gedeutet werden kann. (1)

Die Methode Wieses, sich in die Tragödien zu "versenken", muß aber zwangsläufig zu falschen Ergebnissen führen. Es genügt nämlich nicht, Hebbels Weltbild immanent aus seinen Tragödien zu erarbeiten; es muß auch vielmehr in einem Zuordnungsprozeß zu seinen Quellen gedeutet werden.
Es ist bereits darauf hingewiesen worden, daß sich der Dichter in der ersten Phase an der Philosophie Schuberts und Feuerbachs orientiert habe. Bei Schelling findet Hebbel schließlich alle Elemente des Tragischen in ihrer Relevanz. Ob nun Hebbel die Phi-

---

1) Benno von Wiese: Die deutsche Tragödie von Lessing bis Hebbel. a.a.O. S. 571.

losophie Schellings nur auf Grund von Vorlesungen oder auch durch die Lektüre seiner zahlreichen Schriften kennengelernt hat, ist nicht ganz zu klären. Seine weit verstreuten Notate, die sich mit Schelling befassen, lassen auf die erstgenannte Art des Studiums schließen, obwohl der Dichter auch sicher einige seiner Abhandlungen gelesen hat. Hebbels Philosophie des Tragischen geht letztlich von der These Schellings aus, "daß zu einer bestimmten Zeit aus Gott dem Vater Gott der Sohn hervortreten mußte"; diese Zweiteilung "führt den Dualismus in die Gottheit selbst hinüber, zerspaltet die Fundamental-Idee des menschlichen Geistes und macht Gott zur Wurzel der Welt-Entzweiung" (T 1546). Der Dualismus[1], Gegensatz oder Widerspruch - bei Hebbel synonyme Begriffe - wird schließlich zum bestimmenden Faktor des menschlichen Seins und Erlebens:

> Der Dualismus geht durch alle unsre Anschauungen und Gedanken, durch jedes einzelne Moment unseres Seins hindurch und er selbst ist unsre höchste, letzte Idee. Wir haben ganz und gar außer ihm keine Grund-Idee. Leben und Tod, Krankheit und Gesundheit, Zeit und Ewigkeit, wie eines sich gegen das andre abschattet, können wir uns denken und vorstellen, aber nicht das, was als Gemeinsames, Lösendes und Versöhnendes hinter diesen gespaltenen Zweiheiten liegt. (T 2179)

Die wesentliche Bestimmung des Menschen hinsichtlich seines Handelns basiert auf dem dreifachen Verhältnis von Individuum (Ich), Geschichte und Natur bzw. auf dem dualistischen Prinzip von Freiheit[2] und Notwendigkeit[3]. Die Freiheit des Menschen erweist sich bei Hebbel als Scheinfreiheit oder als relative Freiheit, denn "der Mensch kann über alles verfügen, über Blut und Leben, über jeden Teil seiner Person, nur nicht über seine Person selbst; über diese verfügen höhere Mächte" (B 5.2.1845).

---

1) Notate zum Begriff Dualismus: T 1958 f, T 2329, T 2971, T 2329, T 3943, T 4189, T 2947, T 3047, T 3140, T 1271, T 3732.

2) Notate zum Begriff Freiheit: T 140, T 160, T 169, T 509, T 802, T 1066, T 1306, T 1719, T 1896, T 2011, T 2056, T 2105, T 2263, T 3191, T 3891, T 4387, T 4969, T 5307, T 5410, T 5599.

3) Notate zum Begriff Notwendigkeit: T 509, T 708, T 906, T 1288, T 1395, T 1588, T 1911, T 2011, T 2776, T 2828, T 2881, T 3225, T 3819, T 4175, T 4218, T 4274, T 4334, T 4360, T 4396.

Kann der Mensch aber nicht selbst über seine Person verfügen, dann ist er unfrei bzw. durch "höhere Kräfte" manipulierbar. Freiheit äußert sich im Handeln; doch sind die menschlichen Handlungen derart von Zufall und Schicksal beeinflußt, daß die freie Wahl nur noch in der bereits gefallenen Entscheidung möglich ist, nämlich in der Handhabung dieser Entscheidung:

> Wir Menschen in all unserm innern Tun und Treiben sind und bleiben ewig mehr oder minder kühne Spieler am Roulett-Tisch. Wir sehen bald auf diese, bald auf jene Farbe und irren gewiß jedesmal, wenn wir daraus, daß die eine gewinnt, oder die andere verliert, irgend Schlüsse zum Vorteil oder zum Nachteil unseres Genies ziehen wollen; nur in der Verwendung der Gewinne und Verluste ist uns einigermaßen freie Hand gelassen (T 847).

Dieses Notat des Dichters täuscht in seiner metaphorischen Diktion nicht über den Einfluß Schellings hinweg:

> Es ist also eine Voraussetzung, die selbst zum Behuf der Freiheit nothwendig ist, daß der Mensch zwar, was das Handeln selbst betrifft, frei, was aber das endliche Resultat seiner Handlungen betrifft, abhängig sey von einer Nothwendigkeit, die über ihm ist, und die selbst im Spiel seiner Freiheit die Hand hat. (1)

Den Eingriff in die freie Wahl, so oder so zu handeln, vollzieht das Schicksal[2] oder der Zufall[3], ein Eingriff, den Schelling transzendental erklärt:

> Richtet sich nun unsere Reflexion nur auf das Bewußtlose oder Objektive in allem Handeln, so müssen wir alle freie Handlungen, also auch die ganze Geschichte, als schlechthin prädeterminiert annehmen, nicht durch eine bewußte, sondern durch eine völlig blinde Vorherbestimmung, die durch den dunkeln Begriff des Schicksals ausgedrückt wird, welches das System des Fatalismus ist. (4)

---

1) Fr.W.J. Schelling: Werke. Bd. II, S. 595.

2) Notate zum Begriff Schicksal: T 53, T 345, T 1009, T 1034, T 1044, T 1118, T 1496, T 1670, T 1691, T 2464, T 2695, T 4050, T 4068, T 5539, T 5980, T 6262.

3) Notate zum Begriff Zufall: T 795, T 847, T 849, T 987, T 1009, T 1087, T 1471, T 1496, T 2210, T 2272, T 2313, T 2465, T 2776, T 3931, T 4051, T 4391, T 4537, T 5891.

4) Fr.W.J. Schelling: Werke. a.a.O. S. 601.

Die Verknüpfung des Bewußtseins mit dem Schicksal relativiert der Dichter auf die psychologische Formel: "Der Mensch, sich selbst unbewußt, macht immer auf so viel Lebensglück Anspruch, als er verdient; er rechnet unaufhörlich mit dem Schicksal" (T 1118). Das Bewußtlose ist mithin der Urgrund menschlicher Irrungen und des Sich-Verschließens im Selbst. Aber auch das in das Bewußtlose eingebettete Bewußtsein[1] vermag dem Menschen keine Wahrheit im Sinne absoluter Erkenntnis zu geben. Wahrheit[2] existiert für den Menschen nur als ein Sich-Versenken in das Objekt, bis es nicht mehr weiter erkannt werden kann: "Für uns Menschen muß überall der Punkt, bis zu dem wir vordringen können, anstatt der Wahrheit gelten" (T 975). Wenn es aber keine absolute Wahrheit geben kann, so ist auch der Irrtum nur relatives Produkt des Erkenntnisprozesses. Hebbel setzt an die Stelle des Verstandes, der zu der absoluten Wahrheit nicht vorzudringen vermag, Glauben und Wissen.

Unter Wissen[3] versteht er relative Erfahrbarkeit der Wahrheit durch eine analytische Betrachtung von Natur und Geschichte: "Wer sich an Natur und Geschichte hält, wird durch seine Irrtümer noch nützen" (T 957). Die Geschichte ist schließlich Basis aller Erfahrung, und nur durch die Geschichte erlangt der Mensch sein Wissen von Wahrheit und Irrtum. Während der Irrtum aber dem Individuellen eigen ist, liegt die Wahrheit dem Allgemeinen zugrunde. Daher ist für Hebbel die "Philosophie (...) eine höhere Pathologie"[4]. Der Mensch hat sich vom Allgemeinen entfremdet oder wie Feuerbach es ausdrückt: "Die Religion ist die Entzweiung des Menschen mit sich selbst: er setzt sich Gott als ein ihm entge-

---

1) Notate zum Begriff Bewußtsein: T 648, T 1321, T 1496, T 2023, T 2365, T 2700, T 2920, T 3030, T 3086, T 3140, T 3853, T 3990 f, T 4019, T 4066, T 4272, T 4350, T 4423, T 4857,T 6133.

2) Wahrheit: T 136, T 215, T 522, T 832, T 852, T 875, T 952, T 975, T 1020, T 1060, T 1075, T 1227, T 1508e, T 1842, T 2089, T 2104, T 2126, T 2291, T 2432, T 2528, T 2683, T 2978, T 3037, T 3049, T 3670, T 3697, T 3713, T 3862, T 4187, T 5587, T 5670,

3) Wissen: T 517, T 1164, T 1842, T 2727, T 3086

4) Der Begriff Pathologie, den Hebbel hier zum ersten Mal verwendet, geht auf Steffens "Die Karikaturen des Heiligsten" zurück (auf T 1170 folgt in 1171 Hebbels Hinweis auf die Lektüre): Die unermeßliche Kraft und Energie eines jeden Organs entwickelt sich in der Krankheit und daher gibt es ohne Pathologie keine Physiologie". Die Karikaturen des Heiligsten. Bd. II, S. 214.

gengesetztes Wesen gegenüber"[1]. Geht Hebbel in der ersten Phase seiner Entwicklung von dieser Anschauung Feuerbachs aus, daß Gott als Mensch im Zustand der Selbstentfremdung schließlich zu sich selbst zurückkehrt, stößt er sich in späteren Jahren an der Umkehrung dieser These durch Hegel:

> Woher soll eine Weltgeschichte eine Idee nehmen, die die Gottheit aufwiegt oder überragt? Ich fürchte, zum ersten Mal ist sie ihrer Aufgabe nicht gewachsen; sie hat sich ein Brennglas geschliffen, um die Idee einer freien Menschheit (...) darin aufzufangen. (T 689)

Hebbels Einwand zielt generell auf den Solipsismus Hegelscher Prägung, in der der Vernunft die dominierende Rolle in der Entwicklung des "Geistes zu sich selbst" zugesprochen wird. Die Grunderfahrung des Dichters von der Unzulänglichkeit menschlichen Verhaltens und Erkennens muß das undifferenzierte Menschenbild Hegels ablehnen. Während er den Hegelschen Gedanken, daß einzelne Persönlichkeiten in der Lage sind, große welthistorische Taten zu vollbringen, durchaus bejaht, wendet er sich gegen die fehlende Motivierung bzw. den psychologischen Aspekt:

> Hegel interessiert es nicht, was dem Einzelnen als Einzelnem passiert; ihn interessiert nur das Endergebnis. Der Stolz mag wirklich seine menschlichen Träger zum Ruin führen, aber bis dahin treibt er sie dazu, ungeheure Werke auszuführen, Taten von universellem Ausmaß. (2)

Hebbel rückt - und da zeigt sich einerseits sein Verhaftetsein an die esoterische Psychologie Schellings, andererseits seine dramatische Intention - das existentielle Problem des menschlichen Daseins in den Mittelpunkt seines Denkens und Schaffens. Er greift in dieser Hinsicht weitgehend auf das Schellingsche Prinzip der Polarität zurück, auf den Gegensatz von Natur und Geist, Subjekt und Objekt, wobei sich in der Natur das Reale, im Geist dagegen das Ideale offenbart, schließlich auf die Stellung des Ich zwischen bewußtloser und bewußter Tätigkeit.

---

1) L. Feuerbach: Das Wesen des Christentums. a.a.O. S. 41.

2) Robert Tucker: Die Dialektik der Expansion. In: Karl Marx. Die Entwicklung seines Denkens von der Philosophie zum Mythos. München 1963. S. 63 - 81. Hier: S. 78.

Der Mensch trägt bereits von Natur aus alle Widersprüche in sich. Der Einzelne, Individuum und Teil des Ganzen zugleich, erleidet die tragische Verwirklichung seines Ichs in dem Prozeß der Verselbstung, der in sein Gegenteil umschlägt, wenn der Mensch den Scheitelpunkt seiner Individualität erreicht hat: "Der Mensch wendet sich (...) notwendig gegen das Lebensganze, indem er dessen Gesetzlichkeit, die Individuation, erfüllt; er wird vernichtet durch seine eigene Natur, dadurch, daß er ist, was er ist"[1]. Aller Individualität liegt schließlich Schuld zugrunde.

1) Das Leben als Erleben von Schuld

Das Problem der Schuld[2] wird von Hebbel als ein in der Natur liegendes Grundprinzip angesehen, als eine Art Erbsünde, die dem Menschen a priori anhaftet. Die Frage nach der Schuld stellt sich für den Dichter zunächst auf Grund persönlicher Erlebnisse und Erfahrungen: in besonderem Maße durch sein sich allmählich abkühlendes Verhältnis zu Elise, die ihn in schlimmsten Zeiten unterstützt und sich schließlich für ihn aufgeopfert hat. Dieses Schuldig-geworden-Sein quält sein Gewissen, denn "einen Menschen zum bloßen Mittel herabzuwürdigen", ist für Hebbel "ärgste Sünde" (T 1611). Und es gibt nur eine Alternative, sich von der Schuld frei zu machen: entweder begeht man Selbstmord, den der Dichter in diesem Fall ausschließen muß[3], oder man versucht, sich der Schuld auf eine andere Weise zu entledigen. Liepe bemerkt dazu: "Das Erlebnis der sittlichen Verschuldung am Mitmenschen (...) erzeugt als Rekation den Drang nach Entlastung von Schuld"[4].

---

1) Peter Szondi: Versuch über das Tragische. Frankfurt a.M. 1964. 2. Aufl., S. 42. Zu der Vernichtung des Individuums durch die Natur schreibt Schelling: "Ist das Individuelle nur ein mißlungener Versuch, und hat die Natur es nur gezwungen ausgebildet, um mittelst seiner Ausbildung das Gemeinschaftliche zu erreichen, so muß es die Natur nicht länger dulden, sobald es aufhört als Mittel zu dienen. Aber sobald das Gemeinschaftliche gesetzt ist, hört auch das Individuelle auf Mittel zu seyn". In: Fr.W.J. Schelling: Werke. a.a.O. S. 51.

2) Notate zum Begriff Schuld: T 915, T 2901,T 3088,T 3158,T 6287

3) Dazu Hebbel: Selbstmord ist immer Sünde, wenn ihn eine Einzelheit, nicht das ganze des Lebens veranlaßt". (T 1827)

4) W. Liepe: Zum Problem der Schuld bei Hebbel. a.a.O. S. 45.

Seine persönliche Liste der Entschuldigungen wird so lang, derart existentiell vertieft und generalisiert (Vgl. dazu die Briefe an Elise), daß das persönliche Verschulden zu einem Prinzip allgemeiner Schuld und das persönliche Motiv der Entschuldung zu einer transzendental motivierten umgeschichtet wird:

> Aus der Unmittelbarkeit sittlichen Schulderlebens flieht der Theoretiker des Tragischen in die abstrakte Konstruktion einer dualistischen Daseinsstruktur, in der das Leben als Einzelleben dem Alleben gegenüber von vornherein als schuldig erscheint. (1)

Die sittliche Schuld macht Hebbel zum Gewissensmenschen, einem Menschen also, an dem die Schuld permanent nagt und den das Gewissen derart belastet, daß dadurch die negative Erlebniswelt im Drama sublimiert wird. Fügt man noch den den Menschen ureigenen Grundzug des Egoismus hinzu, der sich bei "großen" Menschen bis zur Selbstsucht steigert, so"steht das Schuldigwerden im Zeichen der Hybris, der Maßlosigkeit, die das Gericht der Tragödie herausfordert"[2].

Die Problemstellungen, die aus dem Schuldbegriff erwachsen, verweisen in ihrer Breite und Tiefe auf den psychologischen Bereich der Naturphilosophie Schellings. Das Böse[3] und der Egoismus[4] als negative Erscheinungsformen des Lebens liegen dem menschlichen Wesen a priori zugrunde. Diese deterministische Betrachtungsweise hat Hebbel von Schelling übernommen, der zu dieser Thematik schreibt:

> Wenn nämlich bereits in der ersten Schöpfung das Böse mit erregt und durch das für-sich Wirken des Grundes endlich zum allgemeinen Princip entwickelt worden, so scheint ein natürlicher Hang des Menschen zum Bösen schon dadurch erklärbar, weil die einmal durch Erweckung des Eigenwillens in der Creatur eingetretene Unordnung der Kräfte ihm schon in der Geburt sich mittheilt. (5)

---

1) ebd. S. 45.
2) ebd. S. 53.
3) Notate zum Begriff Böse: T 806, T 914, T 973, T 1069, T 1340, T 1617f, T 1905, T 2043, T 2139, T 2266, T 2293, T 2616, T 2809, T 2828, T 2901, T 2996, T 3003, T 3483, T 3701, T 4801.
4) Egoismus: T 445, T 700, T 1747, T 1869, T 2008, T 2099f, T 2193, T 2564, T 2673, T 2975, T 3098, T 3870, T 4274, T 5921.
5) Fr.J.W. Schelling: Werke. Bd. IV, S. 273.

Hebbel transponiert diese Anschauung Schellings sogleich ins Dramatische, indem er seinen Ansatz dahingehend differenziert:

> Man sollte im Dramatischen noch einen Unterschied zwischen Schuld und Natur machen. Das Böse einer ursprünglich edlen, aber verwilderten Natur gibt die Schuld, das ursprünglich in den Charakteren bedingte Böse die Natur. (T 2901)

Der Egoismus[1], die treibende Kraft der individuellen Entwicklung des Menschen, ist schließlich Ursache des Bösen, indem er das Individuum immer mehr dem Allgemeinen entfremdet. Der Dichter folgt hier der dynamischen Individualpsychologie Schellings bis in ihren fundamentalen Anschauungsgrund: "Die nothwendige Form aller Existenz ist Individuum, d.h. daß der Leib als Leib unmittelbar auch Seele, die Seele als Seele unmittelbar auch Leib ist"[2].
Die Natur als Ausdruck des Allgemeinsten strebt nun ständig danach, das Individuelle wieder zu vernichten. Das Prinzip des Allgemeinen liegt der Gattung zugrunde, das Prinzip der Besonderheit dagegen dem Individuum. Während das Gute in der Gattung wurzelt, kommt dem Individuum das Böse zu (Vgl. T 5843). Diese Gegensätzlichkeit, in der das Individuum schließlich nur Mittel, die Gattung Zweck ist, wird durch die Natur wieder aufgelöst, weil sie verlangt, daß "das Individuelle untergehen und die Gattung bleiben"[3] muß.
So eng sich hier die Anschauungen des Dichters an Schelling anschließen, ist er doch nicht von ihm allein beeinflußt worden, sondern auch von Steffens. Wenn wir in dieser Arbeit von der These ausgehen, daß die wesentlichen psychologischen Theorien des Tragischen in die zweite Phase fallen, so bedarf auch die naturphilosophische Abhandlung "Die Karikaturen des Heiligsten" einer kurzen Erörterung. Ist nämlich Hebbel in der ersten Phase von Schubert ausgegangen, so hat ihn Steffens, der sich auch mit dem "Ursprung des Bösen" auseinandersetzte, "Schelling hierin

---

1) Hebbel verwendet für den Begriff Egoismus gelegentlich synonyme Begriffe, die in ihrer spezifischen Anwendung für verschiedene Autoren charakteristisch sind: Egoismus (Feuerbach), Egoism (Schelling), Eigenwillen (Schelling), Selbstsucht (Steffens), Eigennutz (Benzel-Sternau), Selbsterhaltungstrieb.
2) Fr.J.W. Schelling: Werke. 2.Ergänzungsband, S. 432.
3) Fr.J.W. Schelling: Werke. Bd. II, S. 51.

vorzüglich folgend"[1], ebenso, wenn auch in geringerem Maße beeinflußt. Das Weltbild Hebbels lehnt sich zwar ganz entschieden an die Philosophie Schellings an, doch haben den Dichter eine Vielzahl seiner Ansichten über "Umwege" erreicht: über Schubert, Steffens und Carus, durch den sich der Dichter nachträglich bestätigt sieht. Jedoch ist es unmöglich, differenzierte Zuordnungen aufzudecken, die darauf hinweisen könnten, in welchen Aussagen Hebbels Schubert, Steffens oder Schelling selbst Pate gestanden haben, weil Hebbel in den meisten Fällen entscheidende Aussagen sogleich in seine dramatische Grundauffassung transponiert hat, ohne auf ihre Quellen zu verweisen.

Liepe sieht in den Begriffen Schuld und Sünde Synonyma: "Sünde also, Schuld, ist Bedingung des Lebens, ein für den Siebzehnjährigen, im Geiste lutherischen Sündenbewußtseins Aufgewachsenen so seltsamer Gedanke, daß er schon an sich auf eine fremde Anregung verweist"[2]. Vergleicht man jedoch die Anzahl und Datierungen der Notate, die sich mit den Begriffen Schuld und Sünde befassen, so stellt sich heraus, daß der Begriff Schuld in der zweiten Phase nur einmal, der Begriff Sünde[3] dagegen fast zwanzig Mal erwähnt wird. Liepe hat mit Recht auf die protestantisch-lutherische Erziehung Hebbels hingewiesen, denn der Dichter ist "von Anfang an ein religiöser Denker gewesen"[4].

Erst in späteren Jahren rückt Hebbel den Begriff Schuld in den Vordergrund seiner Betrachtungen, indem er in einem Notat vom Jahre 1844 auf Hegel verweist: "Hegel, Schuldbegriff, Rechtsphilosophie § 140, ganz der meinige" (T 3088). Während der Begriff Sünde in stärkerem Maße auf seine rein theoretischen Re-

---

1) Henrik Steffens: Carricaturen des Heiligsten. Bd. I, Leipzig 1819. Bd. II, Leipzig 1821. Hier: Bd. II, S. 13.

2) Wolfgang Liepe: Hebbel zwischen G.H. Schubert und L. Feuerbach. In: Kieler Studien zur dt. Literaturgeschichte. S. 169.

3) Notate zum Begriff Sünde: T 48, T 145, T 175, T 481, T 576, T 792, T 805, T 1120, T 1129, T 1260, T 1279, T 1283, T 1335, T 1475, T 1488, T 1590, T 1610, T 1863, T 1870, T 1888, T 1940, T 1942f, T 1958, T 2223, T 2290, T 2531, T 2541, T 2559, T 2652, T 2653, T 2680, T 3158, T 3307, T 4059, T 4340, T 4950.

4) Benno von Wiese: Die Religion Büchners und Hebbels. In: Hebbel in neuer Sicht. S. 26 - 41. Hier: S. 27.

flexionen abzielt, bezieht sich der Schuldbegriff in stärkerem Maße auf sein dramatisches Werk[1].
Zur begrifflichen Unterscheidung des Bösen und der Sünde läßt sich sagen, daß die Sünde immer nur Produkt des Bösen ist, denn das Böse ist bereits als Anlage im Menschen vorhanden, während für Hebbel dasjenige Sünde ist, "was so wenig aus einer Leidenschaft, als aus der Tugend hervorgeht" (T 1279). Folglich ist Sünde ein bewußtseinsmäßiger Akt des Schuldigwerdens. Und Schuld dagegen ist letztlich "ein Werk der Freiheit, aber der Freiheit, welche nicht anders handeln kann, weil sie nur die Freiheit des einzelnen Subjectes ist"[2].
Der "Pantragismus" Hebbels schließt sich also in seinen fundamentalen Ansätzen der Philosophie und Psychologie Schellings an. Seine Anschauung über die Alltragik erwächst eben aus dem Zusammenspiel der in sich beschränkten Individualität des Menschen und seines apriorischen Schuldigseins.

2) Zur Pathologie und Diätetik

Hebbel hat sich zeit seines Lebens mit medizinischen Problemen auseinandergesetzt und genoß die Freundschaft vieler Ärzte. Sein überaus großes Interesse an der Medizin ist darauf zurückzuführen, daß er in besonderem Maße hypochondrisch veranlagt war. In gewissen Zeitabständen hat sich der Dichter immer wieder mit seinen

---

1) Im Drama hat der Begriff Schuld folgenden Stellenwert: "Man sollte im Dramatischen noch einen Unterschied zwischen Schuld und Natur machen. Das Böse einer ursprünglich edlen, aber verwilderten Natur gibt die Schuld, das ursprünglich in den Charakteren bedingte Böse die Natur" (T 2901). Den Begriff "edle Natur" hat Hebbel sicherlich von Steffens entlehnt: "Wir unterscheiden daher die innere Sicherheit einer edlen Natur, die nicht die Ordnung, das Maaß überschreitet..." In: Die Karikaturen des Heiligsten. Bd. II, S. 13. Der Schuldbegriff Hebbels vereinigt schließlich drei Ansätze: einen christlichen (Sünde), den naturphilosophischen Schellings (das Böse) und den rechtsphilosophischen Hegels (Schuld).

2) Benno von Wiese: Die dt. Tragödie von Lessing bis Hebbel. a.a.O. S. 540.

eigenen Krankheitszuständen befaßt:

> Du hast (...) recht, Hypochondrie ist meine Krankheit. Aber, woher entspringt sie? Einzig und allein aus den Verhältnissen? Dann wäre vielleicht eine Heilung möglich, ein Beutel mit Louisdor's könnte Wunder tun. Ihre letzte Quelle ist anderswo, sie liegt tief in meiner Persönlichkeit. (1)

Der Dichter weist zwar oftmals auf alltägliche, zumeist persönliche Krankheitsfälle[2] hin, betrachtet die krankhaften Zustände aber in zunehmendem Maße aus psychologischer Sicht. Im Jahre 1838 gelangt er schließlich zu der auch für sein dramatisches Werk sehr bedeutsamen Ansicht: "Die Philosophie ist eine höhere Pathologie" (T 1170). Der Ausgangspunkt seiner allgemeinen Pathologie des Lebens ist der Mensch in seiner "gestörten" Verhaltensweise. Der Dichter stützt sich in dieser Hinsicht auf zahlreiche Selbstanalysen[3]. In einem Brief vom 19. Dezember 1836 schreibt er an Elise Lensing:

> Nimm es als den höchsten Beweis meiner Achtung auf, daß ich Dir diese dunkelste Seite meines Ichs entschleiere: es ist zugleich unheimlich und gefährlich, wenn ein Mensch zum Fundament seines Wesens hinuntersteigt, und er tut gar wohl, wenn er niemals daran rüttelt, denn drunten lauern die Finsternis und der Wahnsinn.

Hebbels ausgeprägter Drang zur Generalisierung aller relevanten Probleme, die ihm das Leben aufzwingt, führt ihn schließlich zu der Auffassung: "Die Krankheit selbst ist eine Erscheinung des Lebens" (T 2624).
Unter Krankheit[4] versteht er in erster Linie die abnormen Zustände des menschlichen Lebens, aber auch generell die "Anomalien" sei-

---

1) Zitat aus einem Brief Hebbels an Elise vom 12. 5. 1837.
2) In den Notaten: T 486, T 1473, T 1620.
3) Hebbel äußert sich zu der Methode der Selbsbetrachtung in T 697 wie folgt: "Daß der Mensch sich in den absurdesten Zuständen (z.B. der Trunkenheit) selbst beobachtet, ist vielleicht die merkwürdigste Äußerung des inneren Lebens". Dieser Aussage liegt zugrunde, daß die Selbstbeobachtung nicht immer ein bewußter Akt zu sein braucht.
4) Notate zum Begriff Krankheit: T 55, T 705, T 1366, T 1373, T 1620, T 1852, T 2142, T 2324, T 2624, T 3001, T 3003, T 2198, T 3465, T 3892, T 3938, T 4354, T 4598, T 5614, T 5823, T 6102.

ner Zeit:

> Dem schönen Schein abgeneigt, liegt Hebbels Eigenart der Menschenauffassung somit ebenso sehr in einer Fülle realistischer Elemente wie in einer grausamen Neigung, hierbei vor allem die Urgründe der menschlichen Seele und ihre Gebrechen aufzuzeigen. (1)

Während er sich im Jahre 1837 gegenüber Elise noch skeptisch darüber äußert, ob die Natur "einmal das Abnorme, das von allem bisher Vorhandenen Abweichende" hervorbringen könnte, bezieht er in einem Brief an Janinski 1848 eindeutig Stellung, indem er auf seine dichterische Intention verweist:

> Der Aufsatz über das Verhältnis von Kraft und Erkenntnis im Dichter wird Dir zeigen, daß meine Anschauungsweise die geistigen Erscheinungen nicht bloß, wenn sie normal hervortreten, sondern sogar in ihrer Abnormität auf unwandelbare Grund-Gesetze zurückführt.

Die eklatanteste Erscheinungsform abnormen Verhaltens ist für Hebbel der Wahnsinn, den er als extreme Postion des Sittlich-Guten bzw. des Schönen ansieht: "Die größte Häßlichkeit ist der Wahnsinn, die Auflösung ist an jedem Gegenstand das Häßlichste und dies in höherem Grade an dem vollkommeneren, als an dem unvollkommeneren Gegenstande" (T 4).
Hebbels definitorische Auffassungen vom Zustand des Menschen im Wahnsinn verweisen immer wieder auf das gestörte Verhältnis zur Wirklichkeit: "Man kann sich selbst fremd werden, das ist der umgekehrte Wahnsinn und der letzte, d.h. tiefster Abgrund, in den man stürzen kann" (T 1359). Was Hebbel in diesem Notat als "umgekehrten Wahnsinn" bezeichnet, darunter versteht die moderne Psychologie Schizophrenie.
In dem Maße wie sich Hebbel mit den Abnormitäten des Lebens befaßt, setzt er sich in Hinblick auf ihre Heilungsmöglichkeiten mit den medizinischen Verfahren der Diätetik, der Homöopathie und der Makrobiotik auseinander. Schon 1838 vertritt er die An-

---

1) Wolfgang Liepe: Friedrich Hebbel, Weltbild und Dichtung. a.a.O. S. 133. Der Verfasser teilt hier aber keineswegs die Betrachtungsweise Liepes, da er die "Gebrechen der menschlichen Seele" nicht zu der "Fülle realistischer Elemente" zählt.

sicht: "Wo wir krank werden, und wovon, da und dadurch müssen wir auch wieder gesund werden" (T 1366). In einem späteren Notat, das Bornstein auf die Lektüre Hebbels von Novalis "Fragmenten" zurückführt, äußert er sich in ähnlicher Weise: "Geister heilen sich am Ende auch homöopathisch; was einen krank macht, muß ihn wieder gesund machen und die Krankheit ist nur ein Übergang zur Gesundheit" (T 1852). Diese Auffassung geht aber schließlich weitgehend auf den Einfluß von Christoph Wilhelm Hufeland zurück. Obwohl sich Hebbel erst 1841 mit dessen Hauptwerk "Makrobiotik oder die Kunst das menschliche Leben zu verlängern" beschäftigte, so dürfte er schon in früheren Jahren von den diätetischen Ansichten Hufelands erfahren haben, vermutlich über Ärzte, mit denen der Dichter persönlich verkehrte: Mittermaier oder Vogel.

Das wesentliche Prinzip der Diätetik sieht Hufeland, mit dessen Auffassungen sich schon Kant in seiner "Anthropologie" auseinandergesetzt hatte, darin: "Je mehr der Mensch der Natur und ihren Gesetzen treu bleibt, desto länger lebt er, je weiter er sich davon entfernt, desto kürzer"[1]. Dieses Prinzip betrifft aber nicht nur den gewöhnlichen Lebenszustand, sondern auch den moralischen. Hebbel versteht unter Gesundheit primär "den geläuterten sittlichen Zustand" (T 3003). Der Zustand, in dem sich der Mensch am weitesten von der Sittlichkeit[2] entfernt hat, ist der Wahnsinn[3].

Wenn Hebbel nun seine Zeit als unsittlich bezeichnet (Vgl. T 2324), muß er auch die Krankheiten dieser Zeit auf der Bühne zur Darstellung bringen. Und wenn er eine Heilungsmöglichkeit nur darin sieht, daß sowohl die Krankheit als auch ihr Träger vernichtet

---

1) Christoph Wilhelm Hufeland: Makrobiotik oder die Kunst das menschliche Leben zu verlängern. Berlin 1842. 6. Aufl., S. 133.

2) Notate zum Begriff Sittlichkeit: T 125, T 1085, T 1149, T 2974, T 2997, T 3063, T 3191, T 3946, T 4176, T 4221, T 4888, T 5448, T 5820, T 5999.

3) Notate zum Begriff Wahnsinn: T 4, T 486, T 688, T 934, T 1072, T 1359, T 1570, T 1666, T 1668, T 2251, T 2405, T 2681, T 3559, T 3649, T 3795, T 3827, T 4102, T 4670, T 4881, T 5395, T 5696.

werden muß, so kann es im Drama im Grunde keine Versöhnung geben:

> Diejenigen, die vom Tragödien-Dichter verlangen, daß er nicht bloß die sittliche Idee retten, sondern zugleich auch den Helden vor dem Untergang bewahren soll, fordern eigentlich etwas ebenso Unvernünftiges, als wenn sie vom Arzt verlangten, daß er den Organismus nicht bloß von einer Krankheit befreien, sondern die Krankheit selbst auch, als eine individuelle Modifikation des allgemeinen Lebensprozesses, respektiren und also am Leben erhalten sollte. (T 3892)

Diese Auffassung spielt in der Tragödie, in der es schließlich darum geht, ob eine Versöhnung eintreten kann oder nicht, eine überaus wichtige Rolle, vor allem deshalb, weil die Versöhnungsidee Hebbels über das Drama hinausweist.

IV) Das Menschenbild Hebbels

Hebbel setzt sich in etwa 400 Notaten mit der seelischen, sinnlichen, geistigen, moralischen, bewußtseins- und willensmäßigen Beschaffenheit des Menschen und mit seinen Verhältnissen auseinander. Die meisten Aussagen und Erkenntnisse über die psychische Struktur des menschlichen Individuums fallen bezeichnenderweise in die zweite Phase seines Lebens. Es handelt sich hierbei immer wieder um partielle Ansichten, die bestimmte psychische Phänomene betreffen, während sich die existentiellen Problemstellungen in einer größeren Geschlossenheit anbieten.
In diesem Zusammenhang ist es sehr bemerkenswert, daß sich Hebbel nur in ganz geringem Maß für die Physiognomie und die Temperamentenlehre interessiert hat. Die grundsätzliche Ablehnung der physiognomischen Lehre, die er vermutlich zuerst durch die Lektüre Herders und Lichtenbergs kennengelernt hat, schlägt sich in einer Stellungnahme Gravenhorsts, die der Dichter grundsätzlich teilt, nieder: "Gravenhorst bemerkte sehr recht: die Verschiedenheit alles Äußeren am Menschen, des Gesichts, der Glieder, des Organs pp. sollte ihn billig auf den Begriff der Individualität bringen" (T 176).

Hebbels negative Einstellung gegenüber der Physiognomik beruht nämlich auf einer von der Schellingschen Schule beeinflußten Perspektive, die die Individualität nicht vom Physischen, sondern vom Psychischen her entwickelt und ausleuchtet. Noch bemerkenswerter ist jedoch, daß sich der Dramatiker nicht intensiver mit der Temperamentenlehre auseinandergesetzt hat, obwohl er mit ihr einige Male in Berührung gekommen sein muß: in Kants "Anthropologie", in Steffens' "Anthropologie" und schließlich im "Magazin zur Erfahrungsseelenkunde" des Karl Philipp Moritz.
Der Grund, warum Hebbel sich nicht eingehender mit der Charakterkunde beschäftigt hat, läßt sich darauf zurückführen, daß er in bezug auf seine Dramen determinierte Charaktere ablehnt. Er hält sich hier weitgehend an die Auffassung Goethes, die auch Carus teilt: "Vergebens bemühen wir uns, den Charakter eines Menschen zu schildern; man stelle dagegen seine Handlungen, seine Taten zusammen, und ein Bild des Charakters wird uns entgegentreten"[1].
Hebbel weist in einer Kritik an den Charakteren Körners auf die richtige Methode der Charakterbehandlung hin: "Goethe zeichnet die unendlichen Schöpfungen des Augenblicks, die ewigen Modifikationen des Menschen durch jeden Schritt, den er tut, dies ist das Zeichen des Genies" (T 114).
Der Begriff Temperament wird von Hebbel in keinem Notat erwähnt, vielmehr gibt es bei ihm nur eine Klassifizierung, die auf das Schellingsche Prinzip der Polarität zurückgeht, nämlich die Unterscheidung von introvertierten (Frau) und extravertierten (Mann) Charakteren; ihm geht es primär um die Einzigartigkeit der Individualität: "Mit jedem Menschen verschwinde (er sei auch, wer er sei) ein Geheimnis aus der Welt, das vermöge seiner besonderen Konstruktion nur Er entdecken konnte und das nach ihm niemand wieder entdecken wird" (T 902). Das Individuum mit seinen dynamischen Faktoren und Grundkräften der Gegensätze steht dabei im Mittelpunkt seiner Betrachtungen. In dieser Hinsicht ist Heb-

---

1) C.G. Carus: Lebenserinnerungen und Denkwürdigkeiten. Leipzig 1865. Bd. III, S. 176. Carus zitiert hier aus der Farbenlehre Goethes.

bel primär durch die dynamische Naturphilosophie Schellings beeinflußt worden. Dieser sieht in den Gegensatzpaaren Natur und Geist, Sensibilität und Irritabilität, Animalität und Vegetabilität etc. die belebenden Prinzipien des Seins. Noch zu Beginn der zweiten Phase zeigt sich der Dichter ganz von der spekulativen Psychologie Schuberts beeinflußt: "Wenn der Mensch eine Mischung aus allen Naturstoffen wäre (siehe mein Gedicht Naturalismus), so wäre jenes Elexier vielleicht ein Gebräu aus animalischen und vegetabilischen Säften" (T 15).
Diese naturphilosophischen Ansichten, die Hebbel in der ersten Phase durch Schubert, zu Beginn der zweiten Phase durch die Vorlesungen Schellings, kennenlernt und weitgehend übernimmt, findet er auch in Steffens "Die Karikaturen des Heiligsten". Steffens geht in seiner Betrachtung der Individualität des Menschen ganz von Schelling aus: "Alle Eigenthümlichkeit der Menschen gründet sich auf den Urgegensatz, der ursprünglich, wie die Vernunft selbst, ewig sich darstellt, um sich ewig zu vernichten, auf den Gegensatz von Seyn und Erkennen, Natur und Geist"[1]. Daher erübrigen sich eigentlich die Fragen, ob Hebbel in stärkerem Maße durch Schubert, Steffens oder durch Schelling beeinflußt worden ist; der geistige Stammvater des Hebbelschen Welt- und Menschenbildes bleibt im Grunde doch Schelling.
In den zweiten Phase sieht der Dichter Mensch und Leben durchaus realistischer. Die philosophische Ausgangsbasis der rationalen Metaphysik, das Descart'sche "cogito ergo sum", transponiert er ins Psychologische: "Der Mensch ist, was er denkt" (T 1357). Und durch den Einfluß Rousseaus gelangt der Dichter schließlich sogar zu einer materialistisch anmutenden Anschauung menschlichen Seins: "Am Ende existiert der Mensch nur durch seine Bedürfnisse" (T 1104); Hebbel hat allerdings nie an dem geistigen Gedankengut des Materialismus festgehalten. Er übernahm diese Anschauung vielmehr in Hinblick auf die Unzulänglichkeit des Menschen, die Motive, die ihn zu irgendwelchen Taten drängen, letztlich zu ver-

---

1) Henrik Steffens: Die Karikaturen des Heiligsten. Bd. I, S. 61.

kennen: "Überhaupt ist der Mensch erstaunlich ingeniös in Erfindungen, den reflektirenden Teil seines Ichs über den handelnden zu betrügen... (T 3640). Dieses Prinzip, das davon ausgeht, daß der Mensch seine wahren Motive mißdeutet, erscheint in den Tragödien Hebbels als wesentliche Bestimmung des innerdramatischen Gefüges: "Die Motive vor einer Tat verwandeln sich meistens während der Tat und scheinen wenigstens nach der Tat ganz anders: dies ist ein wichtiger Umstand, den die meisten Dramatiker übersehen" (T 1756).

Die Psychologie Hebbels beruht in erster Linie auf der Ansicht, daß das Gefühl[1], vor allem das Lebensgefühl, die dominierende Rolle in der Entwicklung des Menschen einnimmt. In dieser Hinsicht zeigt sich der Dramatiker nicht nur von Jacobi und Hamann beeinflußt, sondern auch von Goethe, der das Leben mehr von einer emotionalen Innen- als einer rationalen Außensicht behandelt:

> Aber der Mensch, vielleicht, weil nun einmal nur das Sinnlich-Wahrnehmbare sich innig in das Gefühl seiner Existenz mischt, empfindet selten das Stetige und immer das Vorüberrauschende im Leben. Da klammert er sich denn (freilich nicht mit Unrecht) an den Augenblick... (T 575)

Die emotionale Perspektive bzw. die "Affektenlehre" entstand in der Romantik als Gegenbewegung zum Rationalismus der Aufklärung und wurde von Hamann und Herder entwickelt, und zwar in der Idee des ganzheitlichen Menschen, "der aus den Kräften des Gemüts handelt, und der eine Einheit aus Seele und Leib, Geist und Natur verkörpert"[2]. Herders Anschauung vom ganzheitlichen Menschen wurde von den Vertretern der romantischen Schule vertieft, weiterentwickelt und leicht abgewandelt. Er selbst blieb Hebbel zwar fremd, aber der Dichter kannte seine Ansichten aus den literari-

---

1) Notate zum Begriff Gefühl: T 111, T 690, T 918, T 942, T 946, T 1014, T 1019, T 1076, T 1083, T 1137, T 1186, T 1268, T 1278, T 1327, T 1523, T 1588, T 1605, T 1857, T 2012, T 2038, T 2081, T 2187, T 2206, T 2288, T 2465, T 2601, T 3928, T 4040, T 4101, T 4158.

2) Wilhelm Hehlmann: Geschichte der Psychologie. a.a.O. S. 118.

schen Grundströmungen seiner Zeit: aus der Lektüre der Schriften Fr. Schlegels, Tiecks und Novalis'. Deshalb scheint hier ein Zuordnungsprozeß unmöglich zu sein.
Der zweite den Menschen bestimmende Faktor hinsichtlich der Bewußtwerdung und Ausformung seiner Persönlichkeit ist Bildung[1]. Hebbel unterscheidet zunächst zwischen den Begriffen Belehrung und Bildung: "Alle Belehrung geht vom Herzen aus, alle Bildung vom Leben" (T 512). Obwohl der Begriff Belehrung dem Begriff Bildung zu- und untergeordnet erscheint, beziehen sich beide auf verschiedene Lebensabschnitte: in der Jugend wird die Bildung passiv durch das Leben aufgenommen (Vgl. T 503), während die Belehrung als aktive Tätigkeit des Verstandes für alle relevanten Erscheinungen des Lebensprozesses im Alter in Erscheinung tritt.

Hebbel warnt jedoch vor einer allzu intensiven Strebsamkeit, sich zu bilden, denn "Bildung ist ein durchaus relativer Begriff. Gebildet ist jeder, der das hat, was er für seinen Lebenskreis braucht. Was darüber, ist nur von Übel" (T 2770). Der Mensch darf sich nur in den Grenzen[2] seiner Verhältnisse bilden; er soll sich soweit verselbstigen, bis er das ist, was er sein soll: individueller Teil des Allgemeinen. Dieser Auffassung liegt der platonische Gedanke zugrunde, daß jedem Menschen in der Gesellschaft schon a priori eine bestimmte Stellung zugewiesen ist. In diesem Rahmen muß sich der Mensch bilden:

> Wenn der Mensch sein individuelles Verhältnis zum Universum in seiner Notwendigkeit begreift, so hat er seine Bildung vollendet und eigentlich auch schon aufgehört, ein Individuum zu sein, denn der Begriff dieser Notwendigkeit, die

---

1) Notate zum Begriff Bildung: T 512, T 680, T 727, T 1143, T 1216, T 2409, T 2556, T 2698, T 2770, T 3317, T 3324, T 3671, T 3962, T 4274, T 5700, T 5719, T 5820.

2) Hebbel ist in dieser Thematik von Schelling und Steffens beeinflußt worden: "...erst wenn der Mensch das innerlich in dem eigenen Wesen verborgene Unendliche nach außen wirft, eine von der geordneten Welt getrennte eigene Welt zu erzeugen strebt, verwandelt sich das Maaß der Bildung in eine Schranke..." In: Die Karikaturen des Heiligsten. Bd. II, S. 94. Dazu Hebbels Notate zum Begriff Beschränkung (Grenze): T 1719, T 1777, T 2019, T 2091, T 2179, T 2309, T 3140, T 3679, T 3732, T 5334.

> Fähigkeit, sich bis zu ihm durchzuarbeiten und die Kraft, ihn festzuhalten, ist eben das Universelle im Individuellen, löscht allen unberechtigten Egoismus und befreit den Geist vom Tode, indem er diesen im wesentlichen antizipiert. (T 4274)

Doch wann hat der Mensch diesen Punkt der Vollendung erreicht und auf welche Bestimmung des Lebens ist er bezogen, wenn die Bildung nicht als Selbstzweck betrieben werden darf? Hebbel gibt uns in einem Notat, das in seiner grundlegenden Anschauungsweise auf den Einfluß Rousseaus zurückgeht, diesen Hinweis: "Das Leben hat keinen anderen Zweck, als daß sich der Mensch in seinen Kräften, Mängeln und Bedrüfnissen kennenlernen soll" (T 1093).
Begriffe wie Individualität, Verselbstung, Natur, Bildung, Beschränkung etc. bestimmen schließlich das dramatische Werk Hebbels. Ziegler ist zwar der Auffassung, daß "diese Begriffe (...) rein in sich und für sich selber genommen, in ihrer Abstraktheit so leer und vieldeutig (sind), daß sie eigentlich nichts besagen"[1], doch sind sie zur Aufschlüsselung von Hebbels Tragödien unerläßlich. Diejenigen Begriffe, die, durch die psychologische Erhellung der Hebbelschen Daseinserfahrung inhaltlich[2] aufgefüllt, als theoretische Aufzeichnungen Ausdruck seines Ringens um Klärung der Daseinsproblematik sind, verweisen schließlich auf die Grundkonzeption seines dramatischen Ausdrucksgefüges und lassen sich auch als solche abheben.

---

1) Klaus Ziegler: Mensch und Welt in der Tragödie Friedrich Hebbels. a.a.O. S. 11.

2) Diese inhaltliche Auffüllung geht aber nicht nur auf Hebbels Methode der Selbstbetrachtung zurück, sondern auch auf die Einflüsse der geistigen Grundströmungen seiner Zeit.

1) Der psychische Organismus

Den psychischen Organismus differenziert Hebbel nach den - uns wohl vertrauten - Einzelerscheinungen des Geistes, der Seele, des Gefühls und der Sinne. In einer Rezension Hebbels (Vgl. T 68), die Schwabes Abhandlung "Über die Geisteskräfte der Tiere" betrifft, glaubt der Dichter, daß das wesentliche Kriterium bei der Unterscheidung von Mensch und Tier nicht der Geist sein müsse. Hebbel versteht nämlich unter Geist[1] nicht primär die psychischen Prozesse des Denkens, sondern eine "höhere Einheit", die sich "überall" wiederfindet. Er folgert daraus: "Wenn man überall Geist annehmen darf, so muß man ihn auch im Menschen annehmen" (T 1378). In dieser Hinsicht zeigt sich Hebbel bereits von Hamann beeinflußt:

> Der Mensch hat nicht nur das Leben mit den Thieren gemein; sondern ist auch sowohl ihrer Organisation als ihrem Mechanismus mehr oder weniger, das heißt, nach Stufen ähnlich. Der Hauptunterschied des Menschen muß also auf die Lebensart ankommen. (2)

Der Dichter geht aber weiter und nimmt sogar an, daß "ein abgeschiedener Geist erscheinen" (T 1472) könnte, wenn es ein Mensch "nachdrücklich" wünscht (Vgl. T 650). Dieser Okkultismus Hebbels, wesentlicher Bestandteil seiner novellistischen Erzählprosa, geht weitgehend auf den Einfluß Kerners, in geringerem Maße auch auf den Einfluß von Paracelsus zurück, obwohl der Dichter ihre metapsychologischen Ansichten nicht grundsätzlich teilt: "Zum zweitenmal schon hab ich die Seherin von Prevorst vorgenommen, aber das Buch widerstrebt mir in innerster Natur" (T 659).

---

1) Notate zum Begriff Geist: T 376, T 641, T 691, T 693, T 919, T 1378f, T 1472, T 1567, T 1634, T 1692, T 1702d, T 1731, T 1764, T 1852, T 1858, T 2026, T 2228, T 2243, T 2248, T 2453, T 2596, T 3383, T 3391, T 3665, T 3691, T 4070, T 6069.

2) J.G. Hamann: Philosophische Einfälle und Zweifel über eine akademische Preisschrift. In: Schriften zur Sprache. S. 147 - 165. Einleitungen und Anmerkungen von Josef Simon. Frankfurt a.M. 1967. Hier: S. 149.

Hebbel geht zunächst von der Unterscheidung "menschlicher Geist" und "Geist in höherem Sinne" (T 1379) aus. Der Geist ist zwar unbedingter Bestandteil der Materie, in seinem an sich sein aber unabhängig. Und gerade in der Abgrenzung des Geistes von der Materie und dem Primat des Geistes erkennen wir den idealistischen Ansatz Hebbels, denn "vom Geist zur Materie ist ein Schritt; von der Materie zum Geist aber ein Sprung" (T 1702 d). In einem weiteren Notat heißt es: "Der Geist wird wohl die Materie los, aber nie die Materie den Geist" (T 1634). Das Vermögen des menschlichen Geistes bezieht sich in erster Linie auf das Erfaßbare, und was er erfaßt, "das beherrscht er auch und ordnet es sich unter..." (T 641) Das negative Vermögen des menschlichen Geistes, das zugleich die Unzulänglichkeit unseres Erkenntnisvermögens impliziert, ist, daß "der Geist (nichts) völlig ausdenken kann und so sind wir Lichter, die eigentlich nur sich selbst beleuchten" (T 1692). Der menschliche Geist, so schreibt Hebbel weiter, äußert sich schließlich in der Sprache, eine Anschauung, die bei Wilhelm von Humboldt und später bei Wundt zum entscheidenden Ausgangspunkt ihrer Sprachpsychologie wird.

Diese Ansätze gehen weitgehend auf die genetische Psychologie Herders und auf die sprachpsychologischen Untersuchungen Hamanns zurück. Der Dichter, der sich etwa zur gleichen Zeit mit den Schriften dieser beiden Philosophen auseinandersetzt, gelangt nämlich zu der Ansicht:

> Die Sprache ist allerdings die sinnliche Erscheinung des Geistes, aber das Sinnliche dieser Erscheinung liegt in der Gedanken-Abbildung durch das Spiel mannigfaltiger Laute an sich, in der Fixierung des geistigen Sich-Selbst-Entbindens durch ein körperliches Medium, und es ließe sich sogar von dieser Seite aus gegen die differentia spezifica zwischen Geist und Körper ein nicht unerheblicher Einwand aufstellen. (T 3665)

Aus diesen Ausführungen des Dichters können wir entnehmen, daß er seiner früher vertretenen und von Schubert[1] beeinflußten Anschau-

1) Schubert hat die Auffassung vertreten: "Geist und Leib, (wird die Meynung jener Zeiten jetzt gedeutet), zwey Gefährten, von ganz verschiedener Natur..." In: G.H. Schubert: Ahndungen einer allgemeinen Geschichte des Lebens. Leipzig 1806. Bd. II 1807, S. 378.

ung nun skeptischer gegenübersteht. Hamann läßt in seinem "Versuch über eine akademische Frage" offen, ob die Sprache göttlichen oder physischen Ursprungs ist:

> Es ist bezeichnend für Hamann, daß er sich weder für die Sprache als thesei noch als physei entscheidet, sondern sie sowohl als tragend für bestehende Verhältnisse (Sitten) als auch als Bedingung der Freiheit gegenüber dem Bestehenden begreift. (1)

Herder geht im Gegensatz zu Hamann von dem natürlichen bzw. "göttlichen Ursprung" der Sprache aus: "Aber den Menschen baute die Natur zur Sprache"[2]. Dieser Ansatz ist von Hamann keineswegs bestritten worden, doch ist er der Ansicht, "daß sie aus der menschlichen Natur vollständig erklärt werden könne"[3]. In seiner "Metakritik über den Purismus der Vernunft" vertritt Hamann schließlich jene Auffassung, die von Hebbel in T 3665 weitgehend übernommen wurde:

> Wörter haben also ein ästhetisches und logisches Vermögen. Als sittliche und lautbare Gegenstände gehören sie mit ihren Elementen zur Sinnlichkeit und Anschauung, aber nach dem Geist ihrer Einsetzung und Bedeutung, zum Verstand und Begriffen. Folglich sind Wörter sowohl reine und empirische Anschauungen, als auch reine und empirische Begriffe... (4)

Da sich Hebbel aber auch unter anderem mit physiologischen Studien beschäftigte, wird er vermutlich auch durch die Physiologie Albrecht von Hallers (möglicherweise auch über J. Müller oder Hampel) beeinflußt worden sein, denn dieser verfaßte "in seinem achtbändigen Werk Elementa physiologicae corporis humani (1757 - 1766) ein System der experimentellen Physiologie und weist neben vielem anderen nach, daß Irritabilität eine allgemeine Eigenschaft der Muskulatur sei, Sensibilität dagegen eine Eigenschaft

---

1) Josef Simon: Einleitung. In: J.G. Hamann: Schriften zur Sprache. Hrsg. von Autorenkollektiv. S. 9 - 80. Hier: S. 22.

2) J.G. Herder: Ideen zur Philosophie der Geschichte der Menschheit. Textausgabe der historisch-kritischen Ausgabe Berlin 1877 - 1913. S. 117. Zu der Herderschen Theorie vom "göttlichen Ursprung" der Sprache schreibt Simon: "Die Gegenthese, gegen die Herder sich in seiner Schrift absetzt, vertrat den göttlichen Ursprung, d.h. ihre einseitige Vermittlung zum Menschen durch göttlichen Unterricht". J. Simon: Einleitung. S. 28.

3) ebd. S. 40

4) J.G. Hamann: Schriften zur Sprache. a.a.O. S. 276.

des Nervensystems"[1]. Der Dichter hat sich jedoch mit diesen Theorien nur am Rande befaßt, so daß er vieles nur andeutet und zuweilen auch unklar läßt, obwohl er 1842 angibt, sich intensiver mit physiologischen Lehrmeinungen beschäftigen zu wollen: "Ich will jetzt Physiologie studieren und zwar ernsthaft" (T 2514). Doch wie er schließlich selbst einsieht, fehlen ihm für ein wissenschaftliches Studium die erforderlichen Grundkenntnisse: "Ich habe heute mit Hampels Physiologie einen Anfang gemacht. Aber ich sehe schon, daß ich, wenn ich zum Verständnis gelangen will, noch tiefer hinein muß, daß es ohne anatomische Kenntnisse nicht geht" (T 2519). Schon zu Beginn seines Tagebuches hat sich Hebbel an der Physiologie interessiert gezeigt, und sich die Frage gestellt, ob "eine Wirksamkeit des Geistes ohne Körper möglich ist" und sie damit beantwortet, daß "Physiologie und Psychologie, in letzter Entwicklung" (T 760) zu einer Lösung dieses Problems hinführen müßten. Der Dichter stützt sich zwar mitunter auf wissenschaftliche Theorien, ohne ihnen jedoch weiter nachzugehen.
Der Begriff Verstand spielt bei Hebbel eine nicht unbedeutende Rolle, aber er hat den Verstand nie als wesentliches Instrument des Erkenntnisaktes aufgefaßt. Den geistigen Ausdrucksformen Verstand[1] und Vernunft[2] hat er nur ein geringes Interesse entgegengebracht, während er sich mit dem Begriff Gefühl[3] eingehender auseinandersetzte. Der Dichter vertritt in diesem Zusammenhang die Auffassung, daß der Mensch nur durch das Gefühl zur wahren Erkenntnis gelangen könne. Hier ist er weitgehend von Feuerbach, Hamann und Jacobi beeinflußt worden, wenn er in einem Notat vom Jahre 1838 schreibt: "Gott teilt sich nur dem Gefühl, nicht dem

1) Notate zum Begriff Verstand: T 588, T 946, T 1072, T 1102, T 1174, T 1268, T 1397, T 2002, T 2276, T 2396, T 4320, T 4433, T 5647, T 5719, T 5759, T 5820, T 6301.

2) Notate zum Begriff Vernunft: T 588, T 1174, T 2396, T 2911, T 3389, T 3433, T 3827, T 4298, T 5515, T 5759, T 5820, T 5933, T 5469.

3) Notate zum Begriff Gefühl: T 111, T 690, T 918, T 942, T 946, T 1014, T 1019, T 1076, T 1083, T 1137, T 1186, T 1268, T 1278, T 1327, T 1523, T 1588, T 1605, T 1857, T 2012, T 2038, T 2081, T 2187, T 2206, T 2288, T 2465, T 2601, T 3928, T 4040, T 4101, T 4158.

Verstande mit; dieser ist sein Widersacher, weil er ihn nicht erfassen kann. Das weist dem Verstande den Rang an" (T 1268). Das Gefühl dominiert aber auch über den Verstand; dieser kann keine idealen Verhältnisse schaffen. Diese deutliche Absage an den Rationalismus hängt vor allem mit seinem dramatischen Bewußtsein zusammen, das das Verstandesmäßige als undramatisch empfindet:

> Warum sind Charaktere, wie die von Napoleon und Friedrich, unpoetisch? Weil sie nicht idealisiert werden können. Warum können sie nicht idealisiert werden? Weil sie nur durch den Verstand groß sind und weil der Verstand der gerade Gegensatz des Ideals ist. (T 5647)

Der Dichter steht der Tätigkeit des Verstandes gleichermaßen negativ gegenüber wie der Vernunft: "Die meisten Menschen täuschen sich über sich und andere, weil sie die Vernunft für die schaffende und leitende Macht halten, da sie doch nur die erhaltende und korrigierende ist" (T 5515). Weder Verstand noch Vernunft bestimmen somit die Erkenntnisprozesse, sondern in erster Linie die kontemplative Betrachtung des Selbst bzw. das In-sich-selbst-Versenken. Die Methode der Selbstbeobachtung, in dieser Epoche eine weitverbreitete Modeerscheinung, geht in ihrem Einfluß auf Hebbel vor allem auf Rousseau und Lichtenberg zurück.
Erkennen heißt für Hebbel Abspiegelung[1] der Außenwelt in Gefühl und Bewußtsein. Der Erkenntnisvorgang ist schließlich primär eine seelische Tätigkeit. Der Dichter spricht zwar nur selten von Seele, doch sind Geist und Seele[2] für ihn synonyme Begriffe: "Rendtdorff behauptete gestern abend, auch der leibliche Schmerz werde nur im Geist, in der Seele empfunden. Ich muß dies bestreiten, denn

---

1) In der Idee der Spiegelung greift der Dichter vermutlich auf G.H. Schubert zurück: "Gar wohl kann es indeß auch geschehen, und ist auch oft geschehen, daß die Seele, welche ihrer ganzen Natur nach nur bestimmt ist, der Spiegel einer höheren, mächtigeren, über ihr stehenden geistigen Ordnung zu sein..." Gotthilf Heinrich Schubert: Symbolik des Traumes. Bamberg 1821. 2. Aufl., S. 20.

2) Notate zum Begriff Seele: T 1624, T 2576, T 2598, T 4042, T 4913.

damit fiele die differentia specifica zwischen Leib und Seele weg, der Materialismus wäre also da"[1]. Hebbel hat aber zeit seines Lebens den Materialismus abgelehnt, obwohl er sich auch noch in späten Jahren mit den mechanistischen Seelendeutungen der französischen Enzyklopädisten beschäftigte[2]. Daher bemerkt Sickel mit Recht:

> Am weitesten abseits von Hebbels Überzeugung stand die mechanistische Weltkonstruktion der Materialisten. Zwar hatte ihn das Einzelproblem der menschlichen Seele, solange er noch den Substanzbegriff festhalten wollte, in bedenkliche Weise zum Materialismus gebracht. Da er aber hiermit zu keiner Entscheidung gekommen war, hielt er sich in Übereinstimmung mit der neueren Psychologie an die gegebenen Tatsachen des Selbstbewußtseins und des Gewissens und baute darauf seine weiteren Folgerungen auf. (3)

Hebbel greift hinsichtlich des Seelenbegriffes auf Leibniz und Wolff zurück, weniger auf den Empirismus und Materialismus. Wolff hatte schon angedeutet, daß dem Menschen nicht alle Tätigkeiten bewußt sind, obwohl man "im Bestreben, einen empirischen Ausgangspunkt für die Psychologie zu finden", zunächst "auf das Bewußtsein"[4] stoße. Erst bei Schelling erfolgt eine deutliche Trennung von Bewußtem und Unbewußtem: "In uns sind zwei Principien, ein bewußtloses, dunkles und ein bewußtes"[5]. Der Dichter verbindet die Bewußtseinsvorgänge mit dem Ich, weist aber auch zugleich darauf hin, daß das Ich ständig im Zweifel ist, ob "sein ursprüngliches, unverfälschtes, oder sein verschrobenes Verhältnis in ihm wirksam ist..." (T 1325)
Dieser Mangel des Ichs, der in seiner grundlegenden Erscheinung auf den Schellingschen Dualismus von Realem und Idealem zurück-

---

1) Der Begriff "differentia specifica", der in Hebbels Notaten einige Male auftaucht, geht auf die Lektüre von Hamanns "Schriften zur Sprache" zurück. Hier in T 2598.
2) Hinweise hierfür finden wir unter anderem in einem Brief vom 23.5.1857 an Friedrich von Uechtritz.
3) Paul Sickel: Friedrich Hebbels Welt- und Lebensanschuung. a.a.O. S. 184.
5) Fr.J.W. Schelling: Werke. Bd. IV, S. 325.
4) Wilhelm Hehlmann: Geschichte der Psychologie. a.a.O. S. 87.

geht, wirkt sich natürlich auf die Tätigkeit des Bewußtseins[1] aus; es erscheint deshalb begrenzt: "es schafft nicht, es beleuchtet nur, wie der Mond" (T 1496). Das tätige Ich und das Bewußtsein effizieren schließlich das Selbstbewußtsein bzw. das Selbstgefühl[2]. Hebbel wendet sich in diesem Zusammenhang gegen die Ansicht Hegels, daß die Natur "bewußtlos" sei, indem er weiter folgert: "wenn ihr kein allgemeines Bewußtsein zugrunde läge, wie käme sie je im Menschen zum besonderen" (T 4066). Das Organ, mit dem der Mensch auf der Basis seiner Natur mit der "höheren Welt" zusammenhängt, ist das Gemüt, denn, so schrieb schon Feuerbach, "das Gemüth sehnt sich nach einem persönlichen Gott"[3]. Vom Gemüt gehen letztlich alle affektiven und emotionalen Akte des Erlebens und Empfindens aus. Es nimmt deshalb einen dominierenden Rang gegenüber dem Verstand ein.

Hebbel vertritt die Auffassung, daß der "denkende Mensch (...) der allgemeine", aber "der empfindende der besondere" (T 3928) ist. In diesem Zusammenhang weist Sickel auf die besondere Begrifflichkeit des Unbewußten hin: "Wenn Hebbel den Ausdruck "unbewußt" gebraucht, so versteht er darunter nicht dasjenige, was sich unserem Bewußtsein vollständig entzieht, sondern die dunkleren Gebiete des seelischen Lebens"[4]. Hebbel hat in seinen Tagebüchern den Begriff "Unbewußtes"[5] nur selten angewendet, doch gebraucht er eine Vielzahl zeitgemäßer synonymer Begriffe wie Naivität, Phantasie, Ahnung. Diese vielfältigen Begriffe finden vor allem deshalb sein Interesse, weil er damit die produktiven Tiefenkräfte des dichterischen Bewußtseins erklären kann:

> Es gibt Augenblicke, wo der Mensch durch Tat und Wort sein Innerstes und Eigentümlichstes ausdrückt, ohne es selbst zu

---

1) Notate zum Begriff Bewußtsein: T 648, T 1321, T 1496, T 2023, T 2365, T 2700, T 2920, T 3030, T 3086, T 3853, T 3990f, T 4019, T 4066, T 4272, T 4350, T 4423, T 4857, T 6133.

2) Notate zum Begriff Selbstbewußtsein: T 172, T 1510, T 2759, T 3086, T 4117.

3) L. Feuerbach: Das Wesen des Christentums. a.a.O. S. 176.

4) Paul Sickel: Friedrich Hebbels Welt- und Lebensanschauung. a.a.O. S. 21.

5) Notate zum Begriff Unbewußtes: T 891, T 1321.

> wissen; die Kraft des Dichters hat sich in ihrer Erfassung zu betätigen. Dies ist es, was Heine unter Naturlauten und Goethe unter Naivität versteht. (T 868)

Der Dichter ist sogar der Auffassung, daß das "Naive (Unbewußte) Gegenstand aller Darstellung" (T 891) sein müsse, insbesonders in Verbindung mit dem Wort, das"die verborgensten Geheimnisse der Seele" bewußt macht: eine Anschauung, die weitgehend auf Hamann zurückgeht. Naivität[1] ist für Hebbel schließlich "die unschuldig spielende Tiefsinnigkeit des Lebens" (T 1254).
Das wesentliche Organ des Dichters ist die Phantasie[2], die"nie über die Ordnung der Natur, über ihre möglichen und denkbaren Kombinationen hinaus(geht)" (T 934). Erst sie setzt das Unbewußte im Menschen in ein positives Verhältnis zum Verstand und erzeugt dadurch die mannigfaltigen poetischen Ausdrucksformen im schöpferischen Menschen.
Dem künstlerischen Bewußtsein liegt aber neben der Phantasie als kreatives Moment die Intuition als instinkthafte Erscheinung zugrunde. Hebbel differenziert: "Was im Genius die Intuition, das ist bei der Masse der Instinkt!" (T 4981) Der Begriff Instinkt wird in seinen Tagebüchern erst relativ spät verwendet. Der Dichter vermag diesen Begriff auch nicht näher zu bestimmen bzw. zu definieren.

> Wie es, außer den fünf Sinnen, noch ein körperliches Gemeingefühl gibt, das sie ergänzt und in mancher Beziehung über sie hinausgeht, so ist auch ein geistiges Analogon vorhanden, das man nennen mag, wie man will, das aber keiner leugnen kann, der sich selbst aufrichtig beobachtet, und das vielleicht mit dem Instinkt der Tiere unmittelbar zusammenfällt und so den gemeinschaftlichen Urgrund des Menschen und des Tiers wiederherstellt. (T 5649)

Unklar bleibt auch, von wem Hebbel diesen Begriff entlehnt hat,

---

1) Notate zum Begriff Naivität: T 868, T 891, T 1254, T 3019, T 3125, T 4272

2) Notate zum Begriff Phantasie: T 93, T 934, T 1055, T 1102, T 1265, T 1853, T 1879, T 2002, T 2396, T 2698, T 3704, T 3808, T 3862, T 4272, T 4881, T 5373, T 5718, T 5996, T 6085, T 6133, T 6135, T 6301.

vermutlich ist er von Hamann oder Herder.

In einem weiteren Notat vom Jahre 1857, in dem er sich mit dem Instinkt aus der philosophischen Perspektive des Materialismus auseinandersetzt, schreibt er: "Wenn es mit Gott und Unsterblichkeit nichts wäre, so wäre auch für den Materialisten der Instinkt des Menschen noch immer bewundrungswürdig, weil er erfand, was die Gesellschaft allein möglich machte, und mit ihr den Fortschritt" (T 5583).

Instinkt ist für Hebbel zwar primär ein Phänomen, das sich am Tier beobachten läßt, es macht sich jedoch auch im Künstler bemerkbar. Der Dichter modifiziert schließlich das Instinkthafte als wesentliches Element des künstlerischen Bewußtseins in einem Brief an Siegmund Engländer auf eine "Mittelstufe zwischen dem Instinkt des Tiers und dem Bewußtsein des Menschen"[1].

Unter den fünf Sinnen nimmt in Hebbels Tagebüchern nur das Auge eine Sonderstellung ein: es ist "der Punkt, in welchem sich Seele und Körper vermischen" (T 1813). Der Dichter ist hier vermutlich von Novalis beeinflußt worden; in eben der Weise wie Hebbel betrachtet nämlich auch dieser das Auge als die hervorstechendste Erscheinung der Sinnesorgane: "Das Auge ist das Sprachorgan des Gefühls" (N 2022)[2].

Obwohl Hebbel in der zweiten Phase noch die Ansicht vertritt, daß sich die Seele im Auge widerspiegelt, gelangt er im Jahre 1844 zu der Überzeugung, "daß der Mensch nirgends einen Brennpunkt hat (...), ja, daß er sogar zwei Augen hat, nicht ein einziges, aus dem die Seele blickt" (T 3026). Solche grundverschiedenen Auffassungen lassen sich in seinen Tagebüchern oft nachweisen, man kann

---

1) Hebbel schreibt in T 6133 weiter: "Da sind wir doch im Bereich der Erfahrung und haben Aussicht, durch die Anwendung zweier bekannter Größen auf eine unbekannte etwas Reales zu ermitteln. Das Tier führt ein Traumleben, das die Natur unmittelbar regelt und streng auf die Zwecke bezieht (...) Ein ähnliches Traumleben führt der Künstler, natürlich nur als Künstler..."

2) Die Aphorismen von Novalis werden nach der durchlaufenden Numerierung seiner "Fragmente", herausgegeben von E. Wasmuth, Heidelberg 1957, zitiert und sind mit einem 'N' gekennzeichnet. In einem anderen Aphorismus schreibt Novalis: "Unser sämtliches Wahrnehmungsvermögen gleicht dem Auge. Die Objekte müssen durch entgegengesetzte Media, um richtig auf der Pupille zu erscheinen" (T 10).

sie jedoch nicht als Widersprüche kennzeichnen, da die geistige Entwicklung Hebbels von mannigfaltigen philosophischen und psychologischen Strömungen seiner Zeit beeinflußt ist.

2) Das Gewissen

Mit der Sonderstellung des Gewissens innerhalb des psychischen Organismus des Menschen befaßt sich der Dichter in stärkerem Maße erst im Abschluß an seine Rezension über "Fallremayers literarischen Nachlaß" vom Jahre 1841, in der er die Herdersche Humanitätsidee sehr kritisch analysiert. Die entscheidende und zugleich wesentlichste Definition zum Begriff Gewissen[1] liefert uns Hebbel in noch späteren Jahren, als er sich in einem Brief an seinen Freund Uechtritz vom 23. Mai 1857 mit der Erkenntnistheorie des Materialismus und dem psychischen Phänomen Gewissen nachhaltig auseinandergesetzt:

> Wenden sie mir ja nicht ein, der Materialismus sei alt und in den Herren Helvetius, Holbach u.s.w. längst zurückgeschlagen; er ist neu in den Gründen, und wer sich mit diesen, nicht etwa durch Moleschott und Vogt, sondern durch die ernstesten und parteilosesten Forscher bekannt und vertraut macht, der wird es nicht verhehlen können, daß von allen Faktoren der Menschen-Natur nur das Gewissen als unzerstörte und, wie ich glaube, unzerstörbare Burg des Spiritualismus übriggeblieben ist.

Diese sehr bedeutsame Ansicht des Dichters bezieht sich auf die wissenschaftliche Lehre des Materialismus vom psychischen Organismus, in der alle Faktoren bis auf die Instanz des Gewissens auf mechanistische Kausalitäten zurückgeführt werden.
Die Überzeugung aber, daß das Gewissen nicht durch mechanistische Gesetze der empirischen Wissenschaften erklärt werden kann, vertritt Hebbel schon implizit in einem Notat vom Jahre 1842: "Ich glaube, im physischen Menschen ist der Same und im psychischen das Gewissen unverwüstbar und unverderbbar, denn in jenem

---

1) Notate zum Begriff Gewissen: T 220, T 2236, T 2494, T 3191, T 3269, T 3640, T 5011, T 5457, T 5611, T 5920, T 5933

beginnt die Welt, in diesem Gott" (T 2494).
Die ersten Hinweise auf die göttliche Instanz Gewissen hat er aber schon sicher in der ersten Phase durch Schubert erhalten: "In der Seele des Menschen wird das Gemeingefühl durch einen Strahl des Geistigen und Göttlichen zum Gewissen und zur Sprache des Gewissens erklärt"[1]. Hebbel folgt dieser Anschauung Schuberts in Hinblick auf den Ursprung des Gewissens, zumal sie darüber hinaus beinhaltet, daß dieses "allen Völkern ohne Ausnahme" zukommt.
Die Basis des Gewissens ist schließlich die Sittlichkeit, "das Weltgesetz selbst, wie es sich im Grenzensetzen zwischen dem Ganzen und der Einzel-Erscheinung äußert..." (T 3883). Während die Sittlichkeit dem "Gemeingefühl" entspricht und letztlich das Über-Ich des Gewissens darstellt, gibt es einen notwendigen zweiten Bestandteil, der dem Ich zugrunde liegt, nämlich die Moralität[2]. Moral ist für Hebbel die angewandte, auf den nächsten Lebenskreis bezogene Sittlichkeit. Der Dichter folgt hinsichtlich der differenzierten Behandlung von Sittlichkeit und Moralität weitgehend den Anschauungen Schellings:

> Charakter ist nur, wo absolute Einheit des inneren Princips, Persönlichkeit im höchsten Sinn, und nur strenger Wahrheit gegen sich selbst und andere vereinbar. Nur auf dieser Stufe gibt es freie Sittlichkeit (eigentliche Moralität). (3)

Die eigentliche Auseinandersetzung mit der psychischen Erscheinung des Gewissens und seiner Funktion beginnt aber erst mit Hebbels Kritik an der Herderschen These: "Humanität ist der Zeck der Menschennatur, und Gott hat unserm Geschlecht mit diesem Zweck sein eigenes Schicksal in die Hände gegeben"[4].

---

1) G.H. Schubert: Die Geschichte der Seele. 2 Bde., 5. Aufl., Stuttgart 1877. Bd. II, S. 177.
2) Notate zum Begriff Moral: T 774, T 2680, T 6269.
3) Fr.J.W. Scgelling: Werke. Bd. V, S. 338.
4) J.G. Herder: Ideen zur Philosophie der Geschichteder Menschheit. a.a.O. S. 379. Herder schreibt zur Verwirklichung der Humanitätsidee: "Den Menschen machte Gott zu einem Gott auf Erden, er legte das Principium eigner Wirksamkeit in ihn... Der Mensch konnte nicht leben und sich erhalten, wenn er nicht Vernunft brauchen lernte; sobald er diese brauchte, war ihm (...) die Pforte zu tausend Irrtümern und Fehlversuchen, eben aber auch und selbst durch diese (...)der Weg zum bessern Gebrauch der Vernunft eröffnet". S. 398.

Hebbel wendet sich nun in mehreren Notaten, vor allem in T 3931 und T 3946, gegen die Herdersche These von der Verwirklichungsmöglichkeit der Humanitätsidee, indem er seinerseits von der Forderung ausgeht, daß der Humanitätsgedanke nur dadurch verwirklicht werden kann, wenn "wir das Bewußtsein unserer individuellen Schwäche in uns lebendig zu erhalten suchen", aber "nicht durch Verwirrung der sittlichen Verhältnisse" (T 3931).

Während Herder der Auffassung ist, der Mensch bedürfe keiner Strafe mehr, wenn er ein Unrecht begangen hat, da er durch das gepeinigte Gewissen selbst genug bestraft sei, vertritt der Dichter die Ansicht, daß der Staat[1] das Individuum für seine Verbrechen bestrafen muß:

> Die Juristen werden mir das Institut der Verjährung und der Gnade nicht einwenden wollen, denn sie würden dadurch nur beweisen, daß sie mich nicht verstehen; die Philosophen aber müssen mir auch nicht von einem Opfer sprechen, das der Idee an sich ohne Rücksicht auf concreta zu bringen sei, denn das würde heißen, das Wesen für den Schein hingeben; und der Psycholog muß mir ebensowenig mit dem Gewissen und mit der Frage kommen, ob dieses ohne das Bewußtsein geleisteter Satisfaktion wieder zur vollen Ruhe gelangt, denn wenn das sich auch so verhielte, so läge gerade hierin diejenige Strafe, die dem Individuum nicht abzunehmen wäre. (T 3946)

Hebbels Ansichten über die sittliche und moralische Instanz des Gewissens haben sich in der dritten gegenüber der ersten Phase, vor allem auch durch den Einfluß der Hegelschen Rechtsphilosophie, geändert. Der Dichter differenziert nun das Gewissen nach "gut" und "böse" bzw. "Recht" und "Unrecht" und definiert es als Bewußtseinsniederschlag konventioneller und individueller Wertordnungen; nur in geringem Maße ist es "durch eine bestimmte Religion" beeinflußt. Als den Menschen ursprünglich mitgegebene Anlage ist das Gewissen eine übergreifende, von den einzelnen Religionen unabhängige, apriorische Instanz. Die Grundübel des gesellschaftlichen Zusammenlebens gehen als das Böse oder als Un-

---

1) In diesem Zusammenhang weist Hebbel auf die Entstehung des Staates hin: "Weil einer gegen alle nicht ausreicht, so verbanden sich alle gegen den einen, den Verbrecher. So entstand der Staat" (T 3947).

recht in die Gewissensbildung ein, und zwar als eine von "Natur und Geschichte" des Menschen überzeitlich erfahrene Normierung. In diesem Zusammenhang wirft der Dichter gewissen "Pharisäern" der verschiedendsten Religionen vor, das sittliche Gesetz zuweilen auf lange Zeit "verfälscht und verdunkelt" zu haben, "indem man sich in majorem Dei gloriam gegen Andersgläubige alles erlaubte"[1]. Von hier aus erfolgt auch sein Einwand gegen den Materialismus: gegen die mechanistisch-materialistische Philosophie Helvetius' und Holbachs und gegen die vulgärmechanistischen Lehrmeinungen Moleschotts und Vogts, die von physiologischen Gesichtspunkten ausgehen.

> Denn das Gewissen steht mit den sämtlichen Zwecken, die sich auf dem Standpunkt des Materialismus für den Menschen ergeben, in schneidendem Widerspruch und wenn man auch versuchen mag, ihm den Geschlechts-Erhaltungstrieb im Sinn eines Regulators und Korrektivs des Individuellen zugrunde zu legen, (...) so wird man es dadurch sowenig erklären, als aufheben, oder es steht nicht fest, daß die Faktoren sich im Produkt nur steigern, nicht verändern? (B 23.5.1857)

Das Gewissen ist und bleibt für den Dichter eine Instanz, die "keine einzige Glaubensforderung" stellt und damit unabhängig von allen Ideologien und Religionen jedem Menschen von Natur aus als eine Art von Pflichtgefühl gegenüber dem Allgemeinen zukommt.

---

1) In einem Brief an seinen Freund Friedrich von Uechtritz vom 23.Mai 1857 geht der Dichter von folgender Anschauung aus: "Wer sich nicht einspinnt in unbestimmte Gefühle, der muß sich sagen, daß es sich bei den unberechenbaren historischen Enthüllungen auf der einen Seite und den Schwindel erregenden Fortschritten der Naturwissenschaften auf der anderen in unserer Zeit gar nicht mehr um das Verhältnis der Religionen untereinander handelt, sondern um den gemeinschaftlichen Urgrund, aus dem sie alle im Lauf der Jahrhunderte hervorgegangen sind, um das Verhältnis des Menschen zur Natur und um seine Abhängigkeit oder Unabhängigkeit von ihren unerbittlichen Gesetzen". Obwohl der unmittelbare Einfluß des Materialismus auf Hebbel nicht allzu stark nachwirkte, darf man seinen Einfluß auf den Dichter keineswegs unterbewerten, indem man ihn in Bezug auf Hebbels Entwicklung ganz zurückweist.

3) Die Antriebe des Menschen

Das psychische Zentrum des Menschen ist nach der Ansicht des Dichters von mannigfaltigen Kräften und Trieben erfüllt, die zur Expansion drängen. Der Grundtrieb des menschlichen Wesens ist der Egoismus[1], "der Selbst-Erhaltungstrieb des Universums und des Individuums" (T 2975), bei Schelling in ähnlicher Diktion, "das Grundwesen der Natur"[2].

Während der Begriff Egoismus in der Vulgärpsychologie als eine eher sozial negative Erscheinung des menschlichen Handelns angesehen wird, erscheint er bei Hebbel als polare Kraft: er ist positiv, wenn er den Menschen zur Individuation antreibt, aber negativ, wenn er das Maß seiner Funktion überschreitet und in bloße Gewinnsucht ausartet. Der Egoismus muß daher an der Sittlichkeit gemessen werden, um seine Wirkung dahingehend zu bestimmen, ob er den Menschen ins Recht oder Unrecht setzt:

> Wer leugnet den Egoismus? Worauf sollen die Radien eines Kreises zurückführen, als auf den Mittelpunkt, der sie bindet, worauf sollen die Bestrebungen eines Individuums, das nur durch den Selbstzweck ein solches ist, abzielen, als auf den Selbstgenuß? Da aber der dauernde Selbstgenuß unwandelbar an die Selbst-Entwicklung und Selbstvervollkommnung geknüpft ist und auf jedem anderen Wege in Selbst-Zerstörung umschlägt, so führt dieser Egoismus eben auf die sittliche Grundwurzel der Welt zurück und es stellt sich als letztes heraus, daß man der Welt nur insoweit dient, als man sich selbst liebt. (T 5921)

Egoismus erscheint also primär als Selbstgenuß bzw. Selbstliebe, auch als treibende Kraft zur "Selbstvervollkommnung" des Individuums: nur in diesem Sinne stellt er eine Notwendigkeit dar.

---

1) Notate zum Begriff Egoismus: T 445, T 700, T 1747, T 1869, T 2008, T 2099, T 2193, T 2564, T 2637, T 2975, T 3098, T 3870, T 4274, T 5921.

2) Fr.J.W. Schelling: Werke. Bd. IV, S. 331. Zur negativen Erscheinung des Egoismus schreibt Schelling: "Daß aber eben jene Erhebung des Eigenwillens das Böse ist, erhellt sich aus dem folgendem". Schelling stellt hier den negativen Grundzug des Willens als Eigenwillen heraus. ebd. S. 257.

Die positive Kraft des Egoismus strebt danach, das in seiner Entfaltungsmöglichkeit frei wählende Individuum soweit zu entwickeln, daß es sich schließlich ohne den Widerspruch seiner individuellen Besonderheit in das Allgemeine einzufügen vermag. Indem es der negativen Bestimmung seines Egoismus verfällt, reißt sich das Individuum vom Ganzen los und versündigt sich somit nicht nur gegen sich selbst, sondern auch gegenüber dem Allgemeinen.
Der Dichter ist in diesem Zusammenhang von mehreren Autoren beeinflußt worden, vor allem durch Schelling. Aber auch der unmittelbare Einfluß Steffens' ist unverkennbar, wenn er - ganz im Sinne Hebbels - zu der negativen Erscheinungsweise des Egoismus schreibt: "Die Selbstsucht will die Vereinzelung, die Trennung dessen, was nur in der Einheit wahrhaft ist..."[1]
Hebbel stimmt mit Schelling darin überein, daß der Wille[2] des Menschen den Lauf seiner individuellen Entwicklung bestimmt, denn "der Mensch hat freien Willen - d.h. er kann einwilligen ins Notwendige!" (T 2504) Während Schelling aber die Begriffe Willen und Egoismus zum "Eigenwillen" verknüpft, sieht der Dichter den Willen und den Egoismus als spezifische Erscheinugsweisen des menschlichen Wesens. An Hand solcher Differenzierungen, die Hebbel des öfteren vornimmt, läßt sich sein Bemühen um Anwendung empirisch-psychologischer Gesichtspunkte ablesen.
Wenn nun der menschliche Wille das Notwendige akzeptiert und anerkennt, bildet das Individuum sein Ich bis zum Selbstbewußtsein aus; für den Dichter gibt es nämlich "keine heiligere Pflicht , als zu versuchen, sich von sich selbst loszureißen, denn nur dadurch gelangt" das Individuum "zum Selbstbewußtsein, ja zum Selbstgefühl" (T 1510).

---

1) H. Steffens: Die Karikaturen des Heiligsten. Bd. I, S. 167. An einer anderen Stelle bemerkt Steffens zum negativen Grundzug des Egoismus: "Die Selbstsucht verwandelt die Freiheit in Willkür, die Notwendigkeit in Zwang". ebd. S. 111. Hebbel ist in dieser Thematik nicht nur durch Schelling und Steffens, sondern auch durch Rousseau und Benzel-Sternau beeinflußt worden, wenn auch die Begriffe mitunter verschieden sind (Vgl. Anm. auf S. 46).

2) Notate zum Begriff Willen: T 169, T 763, T 1162, T 2151, T 2210, T 2504, T 4127.

Nur durch das Selbstbewußtsein[1] setzt sich das Individuum jene Schranke, die verhindert, daß es das Universum "zu seinem Individuum" (T 2091) mitrechnet. Aus diesem Grunde wird das Bildungsstreben zu einer notwendigen Tätigkeit des Menschen, um zum Selbstbewußtsein zu gelangen. Der Dichter vetritt nämlich in diesem Zusammenhang die Ansicht: "Das Leben hat keinen anderen Zweck, als daß sich der Mensch in seinen Kräften, Mängeln und Bedürfnissen kennenlernen soll" (T 1093). Nur auf diesem Wege kann das zum Bewußtsein über sich selbst geführte Individuum seine Grenzen erkennen. Schlägt der Mensch eine andere Richtung ein, so läuft er Gefahr, der Maßlosigkeit bzw. Hybris zu verfallen.
Die eigentliche Kraft im Menschen, die dem einzelnen die Möglichkeit schafft, sich zu bilden und zur "Selbstvervollkommung" zu gelangen, ist das Talent[2]. Ein jeglicher Mensch besitzt irgendein Talent von Natur aus, und "jedes Talent verlangt ein Leben zu seiner Ausbildung" (T 753). Hebbel vertritt die Auffassung, daß der Mensch nur durch Ausbildung seines Talents in ein enges Verhältnis zu Gott gesetzt wird:

> Es gibt keinen Weg zur Gottheit, als durch das Tun des Menschen. Durch die vorzüglichste Kraft, das hervorragendste Talent, was jedem verliehen worden, hängt er mit dem Ewigen zusammen, und soweit es dies Talent ausbildet, diese Kraft entwickelt, soweit nähert er sich seinem Schöpfer und tritt mit ihm in ein Verhältnis. (T 1211)

Eine weitere, wesentliche Kraft im Menschen ist die Liebe. Hebbels Ansichten über die Liebe sind mitunter sehr verschieden und lassen sich in ihren grundlegenden Anschauungsformen auf die mannigfaltigsten geistigen Strömungen seiner Zeit zurückführen. Deren Perspektiven zum Thema Liebe lassen sich differenzieren

---

1) Zum Selbstbewußtsein und seinem Grenzensetzen schreibt Schelling: "Alle Begrenztheit entsteht uns durch den Akt des Selbstbewußtseyns". In: Fr.J.W. Schelling: Werke. Bd. II, S. 409.

2) Notate zum Begriff Talent: T 114, T 747, T 753, T 858, T 892, T 1127, T 1136, T 1208, T 1211, T 1276, T 2685, T 2688, T 2993, T 3163, T 4353, T 4413, T 4873, T 5387, T 5479, T 5997, T 6010, T 6228. Hebbel geht auch in T 1432 auf sein eigenes Talent ein: "Künstlerische Tätigkeit: höchster Genuß, weil zugleich Gegenstand von Genuß".

nach:

1. dem persönlichen Erleben des Dichters,
2. ihrer Ausdeutung im Werther-Komplex,
3. ihrer psychologisch-literarischen Behandlung und
4. ihrer metaphysischen Ausdeutung.

Das Phänomen Liebe[1] gewinnt für den Dichter vor allem deshalb besondere Bedeutung, weil sein Verhältnis zu den Frauen emotional überaus stark entwickelt ist. Es ist jedoch nicht Aufgabe dieser Arbeit, auf die persönlichen Liebesverhältnisse des Dichters einzugehen, sondern vielmehr auf jene Ansichten, die das Problem Liebe auf einer höheren bzw. allgemeinen Ebene reflektieren. Hebbel ist in dieser Hinsicht zunächst von Goethes "Werther" und Jacobis "Woldemar" beeinflußt worden. In einem Notat vom Jahre 1838 bemerkt er zum "Werther": "Die erste wahnsinnige Liebe, so spurlos sie gewöhnlich vorübergeht, und von so lächerlichen Erscheinungen sie begleitet wird, ist doch vielleicht das Ernsthafteste am ganzen Leben... Ich bin überzeugt, jeder könnte Werthers Leiden erleben, den Helden und den Künstler ausgenommen" (T 1112). Eine ebenso große, wenn nicht noch stärkere Wirkung wie vom "Werther" ist auf ihn auch von dem psychologischen Roman "Woldemar" ausgegangen, in dem die Liebe "als Verworrenheit des Herzens"[2] in Erscheinung tritt. In diesem Zusammenhang schreibt Hebbel: "Liebe ist Krankheit" (T 1778).

Das Thema Liebe ist in dieser Zeit von zahlreichen Literaten aufgegriffen und psychologisch verarbeitet worden. Neben Goethe und Jacobi sind es vor allem Rousseau, Novalis und Steffens, die den Dichter hier weitgehend beeinflußt haben, obwohl die spezifischen

---

1) Notate zum Begriff Liebe: T 484, T 502, T 511, T 822, T 844, T 870, T 1180, T 1406, T 1423, T 1473, T 1596, T 1610, T 1734, T 1778, T 1849, T 1870, T 1876, T 1947, T 2027, T 2051, T 2059, T 2100, T 2101, T 2115, T 2137, T 2208, T 2235, T 2297, T 2314, T 2525, T 2538, T 2735, T 2773, T 2921, T 3098, T 3232, T 3425, T 3443, T 3526, T 3630, T 3716, T 3786, T 3807, T 3825, T 3886, T 3926, T 4046, T 4055, T 4146, T 4189, T 4242, T 4269, T 4280, T 4365, T 4373, T 4609, T 4681, T 4701, T 4796, T 5115, T 5570, T 5690, T 5805, T 6238.

2) Fr.H. Jacobi: Woldemar. 5 Bde., Leipzig 1820. Hier: Bd. I, S. 48.

Einflüsse dieser Schriftsteller in seinen Notaten kaum nachzuweisen sind. Die scheinbar widersprüchlichen Ansichten über die Liebe resultieren aus der differenzierten Betrachtungsweise des Dichters, indem er sich den vielfältigen Meinungen und Auffassungen anschließt.

Hebbel unterscheidet zunächst zwischen einer reinen bzw. "wahren" und einer leidenschaftlichen Liebe, wobei er die reine Liebe in ihrer Grundgestimmtheit auf die Freundschaft[1] zurückführt:

> Wie in der physischen, so gibts in der höheren Natur - wie wärs bei der Ökonomie, die der Welt als erstes Konstitutionsgesetz zum Grunde liegt, auch anders möglich? - nur eine Anziehungskraft, die Menschen an Menschen kettet; das ist die Freundschaft, und was man Liebe nennt, ist entweder die Flammen-Vorläuferin dieser reinen, unvergänglichen Vesta-Glut, oder der schnell aufflackernde und schnell erlöschende abgezogene Spiritus unlauterer Sinne. (T 511)

Das Thema Freunschaft ist für Hebbel immer ein existentielles Problem gewesen, zumal er sich von der ersten bis zur zweiten Phase seines Lebens immer einsam fühlte:

> Ich habe oft ein Gefühl, als ständen wir Menschen (d.h. jeder einzelne) so unendlich einsam im All da, daß wir nicht einmal einer vom andern das Geringste wüßten und daß all unsre Freundschaft und Liebe dem Aneinanderfliegen vom Wind zerstreuter Sandkörner gliche. (T 484)

Hebbels Drang nach einer Generalisierung und Vertiefung seiner existentiellen Probleme wird auch hier deutlich sichtbar. Durch

---

1) Notate zum Begriff Freundschaft: T 54, T 333, T 492, T 526, T 604, T 699, T 1016, T 1848, T 1985, T 2027, T 2103, T 2124, T 2230, T 2708, T 2735, T 2924, T 3272, T 3363, T 3677, T 3702, T 4045, T 4564, T 4801, T 4939, T 5072, T 5435, T 5656, T 5821, T 6227. Hebbel geht in diesem Zusammenhang von seiner eigenen Erfahrung aus: "Die wenigsten Verhältnisse zwischen den Menschen sind der Art, daß sie sich bis ans Ende des Lebens durchführen lassen, und unter diesen befindet sich fast kein einziges, das in der Jugend angeknüpft wird. Es ist außerordentlich schlimm, daß dies nur erfahren, nicht überliefert werden kann, denn hier läßt sich über die Erfahrung selten eher ins reine kommen, als wenn es zu spät ist" (T 1016). Eine nicht unwesentliche Rolle spielt auch hier der Tod seines Freundes Emil Rousseau, der der einzig wahre Freund Hebbels gewesen war: "Ich sehe die ganze Woche keinen einzigen Menschen, ich habe keine Gelgenheit zum Sprechen, was mir doch ein Bedürfnis ist..." (T 1352)

den Einfluß Schellings betrachtet er die Liebe nun als transzendentale Erscheinung, der im irdischen Sein nur eine kurze Lebensdauer beschieden ist. Schelling geht davon aus, daß die Liebe und der Egoismus zwei bestimmende Grundkräfte allen Seins sind, denn "der Egoismus ist = erster Potenz, die Liebe = zweiter oder höherer Potenz"[1]. Wenn nun für Schelling "der göttliche Egoismus (...) das Grundwesen der Natur"[2] ist, folgert Hebbel daraus richtigerweise: "Die Liebe ist durchaus egoistisch"[3].
Diese beiden Erscheinungsformen der Liebe, die vom Egoismus getragene "Selbstliebe" (T 2100) und die "wahre" Liebe als Spiegelung des Selbst "im andern" (T 3630), bestimmen das menschliche Zusammenleben. Hebbel geht in seiner Differenzierung noch weiter. Wenn er in einem Notat vom Jahre 1839 darauf hinweist, daß Liebe "Krankheit" ist, einige Wochen später aber erklärt, die Liebe sei "der Kern des Menschen" und dürfe "in ihrem gesunden Zustand nicht dargestellt werden, so hängt ihr jeweiliger Zustand von der psychischen Grundgestimmtheit des Menschen und seines Temperaments ab. Über die "wahre" Liebe spricht der Dichter nur im Konjunktiv (Vgl, T 3926); die irdische Liebe ist dagegen durch einige Faktoren, die letztlich alle auf der Leidenschaft[4] basieren, bestimmt. Schon im Jahre 1836, also zwei Jahre vor seiner Lektüre von Solgers "Vorlesungen über Ästhetik"[5], hat der Dichter die Ansicht vertreten, "daß die Leidenschaft der Schlüssel zur Welt sei" (T 510). Hebbel dürfte in dieser Hinsicht vor allem durch Novalis und Rousseau entscheidend beeinflußt worden sein.

---

1) Fr.J.W. Schelling: Werke. Bd.IV, S. 331.
2) ebd. S. 331.
3) In einem Brief an Elise vom 5. Februar 1845. Einige Monate später äußert er sich zu der egoistischen Bestimmung der Liebe noch deutlicher: "Freilich weiß ich längst, daß die Liebe die höchste Spitze des Egoismus ist..." (B 6.12.1845).
4) Notate zum Begriff Leidenschaft: T 145, T 510, T 1279, T 2211, T 3931, T 4414, T 4820, T 5933.
5) Solger schreibt zu diesem Thema ganz im Sinne Hebbels: "Das Erste, das völlige Versinken des Gemüthes in eine bestimmte Richtung, ist die Leidenschaft, welche die Kunst in ihrer höchsten Vollkommenheit aufnehmen muß als den ganzen Begriff des Gefühls erschöpfend (...) Diese Seite hängt am meisten mit dem Tragischen zusammen, welches, der Leidenschaft einen höheren Charakter giebt". K.W.F. Solger: Vorlesungen über Ästhetik. a.a.O. S. 211.

Novalis äußert sich nämlich ganz im Sinne Hebbels über die traggische Bestimmung des leidenschaftlichen Menschen, denn "man kann von leidenschaftlichen Menschen im eigentlichsten Sinn sagen, daß sie fallen (N 1124). Und in Rousseaus "Nouvelle Héloise"[1] findet der Dichter alle wesentlichen Erscheinungsformen menschlicher Leidenschaftlichkeit.
Die temperamentsmäßige Veranlagung oder der psychische Zustand des Menschen bestimmen nach der Ansicht Hebbels schließlich die jeweiligen spezifischen Ausdrucksformen der Leidenschaft: der Eifersucht, der Wollust, der Rache etc. Er vertritt aber auch darüber hinaus die Auffassung, daß alle menschlichen Vergehen, die aus der Leidenschaft resultieren, keine Sünde sind, denn "nur das ist Sünde, was so wenig aus einer Leidenschaft, als aus der Tugend hervorgeht" (T 1279). Diese Anschauung des Dichters spielt in seinen Tragödien eine überaus wichtige Rolle.

4) Der Geschlechtergegensatz

Hebbel hat sich in seinen Tagebüchern sehr ausgiebig mit der Problematik des Geschlechtergegensatzes auseinandergesetzt. Die Notate zu den Begriffen Mann und Weib weisen hierbei ein Verhältnis von 1 zu 2 auf. Für diese unterschiedliche Behandlung lassen sich zwei Gründe anführen: der Dichter legt einerseits den Schwerpunkt seiner Betrachtungen auf die psychologische Analyse der Frau, weil er sich auf Grund persönlicher Motive zeit seines Lebens mit der diffizilen Rolle der Frau befaßt, andererseits hat er sich schon in zahlreichen Selbstbetrachtungen mit der Rolle des Mannes beschäftigt.

---

1) Saint-Preux bemerkt z.B. in der "Nouvelle Héloise" zum Thema Leidenschaft: "Sie sagten mir oft, kleine Leidenschaften ließen sich nie aus der einmal eingeschlagenen Richtung verdrängen und gingen immer auf ihr Ziel los, mit großen hingegen könne man sie bekämpfen". J.J. Rousseau: Die neue Heloise. Hrsg. von Curt Moreck. Nachdruck unter teilweiser Benutzung der dt. Ausgabe von 1761. 2 Bde., Berlin 1920. Ein ebenso großer Einfluß wie von der "Nouvelle Héloise" dürfte in diesem Zusammenhang auch von Jacobis "Woldemar" ausgegangen sein.

Der Geschlechtergegensatz[1] findet im 19. Jahrhundert eine überaus starke Beachtung, vor allem in zahlreichen philosophischen, psychologischen und anthropologischen Abhandlungen. Grundlegende Ansätze, die sich in einigen psychologischen Romanen und Tagebüchern niederschlagen, finden wir bereits in der literarischen Richtung der "Empfindsamkeit" um 1775. Hebbel ist weitgehend durch jene psychologisierenden Schriften beeinflußt worden, die er selbst gelesen hat: Goethes "Bekenntnisse einer schönen Seele" und "Die leiden des jungen Werther", Jacobis "Allwill" und "Woldemar", Steffens "Malkolm" und Rousseaus "Julie ou la novelle Héloise".

Aber auch die philosophisch-psychologischen Strömungen dieser Zeit bemächtigten sich dieses Themas. Hier müssen insbesonders diejenigen naturphilosophischen Schriften genannt werden, die das Verhältnis der Geschlechter unter biologischen Aspekten behandelt haben. Dieser wissenschaftliche Ansatz ist zuerst von Schelling aufgegriffen und schließlich von Steffens, Carus, Goethe und Wilhelm von Humboldt übernommen und psychologisch vertieft worden. Hebbel wurde schon in der ersten Phase mit den elementar psychologischen Anschauungen der Schellingschen Naturphilosophie vetraut gemacht. Schubert weist auf einen - für den Dichter sehr bedeutsamen - Merkmalsunterschied hin:

> In dem männlich Zeugenden tritt seiner ganzen Wesenheit nach jene selbstkräftig hinauswärts und hinaufwärts strebende Richtung hervor, welche dem Zug nach dem Centrum in die Weite geht, während in dem weiblich Empfangenden vorherrschend jener Zug nach dem Centrum waltet... (2)

Hebbel baut auf dieser Anschauung seine temperamentsmäßige Unterscheidung von einem extravertierten (Mann) und introvertierten Typus (Frau) auf: "Des Weibes Natur ist Beschränkung, Grenze, darum muß sie ins Unbegrenzte streben; des Mannes Natur ist das

---

1) Notate zum Geschlechtergegensatz: T 343, T 628, T 1944f, T 1981, T 2052, T 2101, T 2309, T 2697, T 2980, T 3022, T 3104, T 3393, T 3441, T 3475, T 3557, T 3635, T 3858, T 4198, T 4557, T 4706.

2) G.H. Schubert: Die Geschichte der Seele. a.a.O. S. 260.

Unbegrenzte, darum muß er sich zu begrenzen suchen" (T 2309).

Die einzelnen Faktoren, die im Anfangsstadium der zweiten Phase zu dieser Differenzierung geführt haben, verweisen auf den Einfluß verschiedener Autoren, obwohl Hebbel von der ersten bis zum Beginn der zweiten Phase noch ganz der Psychologie Schuberts verhaftet bleibt. In einem Notat vom Jahre 1836 schreibt der Dichter: "Die Weiber kennen keinen Gott, als den Gott der Liebe und kein Sakrament, als das Sakrament der Ehe" (T 502). Diese Anschauung Hebbels basiert nämlich auf der Ansicht Schuberts, daß sich "das schwächere Weib (...) dem stärkeren Mann"[1] notwendigerweise anschließen muß, um geschützt zu sein.
Ab 1837/8 ist er in dieser Hinsicht auch von anderen Autoren beeinflußt worden. Der spezifische Ausdruck seiner Reflexionen in Form von Metaphern erweist sich aber als nicht so ungewöhnlich und so charakteristisch für den Dichter, wie es einige Hebbel-Interpreten gesehen haben wollen. Bei einem Vergleich zwischen der Diktion Hebbels und einiger seiner Zeitgenossen, mit deren Schriften er sich auseinandergesetzt hat, finden wir erstaunliche Parallelen. Steffens schreibt beispielsweise im zweiten Band seiner "Anthropologie": "Eine jede Frau ist eine verhüllte Knospe, nur für den einen Geliebten in der stillen Verhüllung geboren..."[2]
Bei Hebbel dagegen heißt es: "Das Weib ist in den engsten Kreis gebannt: wenn die Blumenzwiebel ihr Glas zersprengt, geht sie aus" (T 366). Beide Anschauungen lassen sich letztlich auf den Einfluß von Schelling zurückführen. Dieser vetritt nämlich die Ansicht, daß das weibliche Wesen aus einer "vegetabilischen" Wurzel hervorgegangen ist, denn "das Geschäft des Empfangens, der Bildung, mit einem Wort das Geschäft der Pflanze ist dem Weib übertragen durch die ganze Natur..."[3]
Dasjenige, was Müller in Bezug auf Hebbels geistige Ausdrucksform richtigerweise als "Gestaltdenken" und "aphoristische Bün-

---

1) G.H. Schubert: Lehrbuch der Menschen- und Seelenkunde. Erlangen 1838. S. 235.
2) H. Steffens: Anthropologie. 2 Bde., Breslau 1822. Bd. II, S. 449.
3) Fr.J.W. Schelling: Werke. 2. Ergänzungsband. S. 339.

digkeit" bezeichnet hat, gilt für viele Zeitgenossen Hebbels; doch erschwert gerade das die Möglichkeit einer sicheren Zuordnung. Andererseits wird uns dadurch bewußt, welch große Bedeutung die Naturphilosophie Schellings für den Dichter gehabt hat.

Aber auch der Verfasser der "Nouvelle Héloise" und eigentliche Erfinder des psychologischen Romans nimmt hier eine Sonderstellung ein. Obwohl sich Hebbel sehr intensiv und über einen langen Zeitraum hinweg mit den Schriften Rousseaus auseinandergesetzt hatte, ist sein Einfluß aus den oben genannten Gründen nur vereinzelt nachweisbar. Methode und Thematik seiner "Julie", die emotionale Innensicht und das Verhältnis der Geschlechter, haben nämlich nicht nur ihn, sondern auch zuvor schon Goethe, Jacobi, Moritz und Steffens, die ihrerseits ja auf Hebbels theoretische Ansichten eingewirkt haben, beeinflußt. Wenn der Dichter beispielsweise schreibt "das Weib und die Sittlichkeit stehen in einem Verhältnis zueinander, wie heutzutage leider die Weiber und die Unsittlichkeit" (T 628), kurz zuvor aber bereits durch Rousseau zu der Anschauung geführt wurde, "ach, es ist wahr, es gibt solche Zeiten, und die Weiber führen sie herbei" (T 593), ist die unmittelbare Beeinflussung evident. Ein ähnliches Beispiel verweist in späteren Jahren auf die Übernahme von Gedankengut aus Novalis' "Fragmenten". Dieser bemerkt zum Thema Weib: "Die Frauen wissen nichts von Verhältnissen der Gemeinschaft. - Nur durch ihren Mann hängen sie mit Staat, Kirche, Publikum usw. zusammen. Sie leben im eigentlichen Naturzustande" (N 2069). Hebbel formuliert diese Aussage um: "Das echte Weib ist seinem Gefühl nach nichts für sich, es ist nur etwas in seinem Verhältnis zu Mann, Kind oder Geliebten - wie zeigen dies Elisens Briefe!" (T 2927) Die Schlußbemerkung könnte zwar durchaus zu der Annahme führen, der Dichter gehe in diesem Notat ganz von der eigenen Erfahrung aus, doch stimmen Gehalt und Diktion beider Aussagen so sehr überein, daß man diese Annahme wohl kaum aufrechterhalten kann. Eher kann man gerade hier die These vertreten, daß Hebbel bereits weitgehend präformiert ist, als er sich mit Novalis' "Fragmenten" auseinandersetzt.

Ein weiterer Schriftsteller, der den Dichter in der Thematik des Geschlechtergegensatzes beeinflußt hat, ist der Graf von Benzel-Sternau. In seiner Biographie "Das goldene Kalb" analysiert er wie Rousseau die Verhältnisse seiner Zeit, "namentlich der Weiber" (T 614). Benzel-Sternau geht zwar in seiner Biographie nie über die Erlebniswelt Rousseaus hinaus, jedoch gewinnt eine seiner Ansichten für Hebbel besondere Bedeutung: "Gott behüte uns vor solchen Weibern, denn der Mensch ist ein Ding, sagt der ehrliche Shakespeare; und ich sprech mit großem Fug und Rechte nach: Das Weib ist ein Ding"[1]. Diese Auffassung wird für den Dichter zu einem wesentlichen Motiv des Geschlechtergegensatzes in seinen Tragödien.

Hebbel weist in zahlreichen Notaten immer wieder auf die starke Abhängigkeit der Frau vom Mann hin[2]. Obwohl er auch die Anschauung vertritt, daß "ein Weib, das etwas Außerordentliches tut", sich dadurch "von der Ehrfurcht für den Mann (...) befreien" (T 1945) könnte, bemerkt Eda Sagarra dazu mit Recht,

> daß Hebbel vieles dem jungdeutschen Bild der emanzipierten Frau verdankt, wenn er es auch entschieden ablehnte. In fast allen seinen Stücken zeigt sich eine tiefe psychologische Einsicht in der Art, wie er rationale und emotionale Faktoren heranzog, um das Handeln einer Frau verständlich zu machen, wie er nie aus dem Auge verlor, daß die Frau vor allem lieben und geliebt werden will. (3)

Der Dichter ist sich durchaus bewußt, daß die Frau in früheren Zeiten allzu stark unterdrückt wurde, sieht aber dieses Problem nicht in seiner Zeit als gegeben an:

> Wie gering die Alten vom Weibe dachten, das sieht man am deutlichsten an der Ilias. Helena war keine Person, die ein Unrecht am verlassenen Gemahl begangen, sie war eine Sache, ein hübsches Ding, das ein Unrecht erlitten hatte, ohne selbst dafür verantwortlich zu sein, darum zog ganz Griechenland ihretwegen vor Troja. (T 2973)

---

1) Graf von Benzel-Sternau: Das goldene Kalb. Eine Biographie. 2 Bde., Gotha 1802. Bd. I, S. 21.

2) Vgl. dazu T 113, T 366, T 502, T 627, T 628, T 2927.

3) Eda Sagarra: Tradition und Revolution. Deutsche Literatur und Gesellschaft 1830 - 1890. Aus dem Englischen von Herbert Drabe. München 1972. S. 216.

Hebbel verweist auf die fehlende geistige Tiefe der Frau: "Noch nie hat mir ein Weib durch Tiefe des Geistes imponiert, aber wohl durch Tiefe des Gemüts" (T 3635). Und da es der Frau an einigen Kräften des Mannes mangelt, fällt diesem die Rolle zu, "sich mit Welt und Leben zu plagen" (T 343), während das Weib selbst nur mit dem Mann konfrontiert wird.

Der Dichter deutet aber bei aller Schärfe seiner Differenzierung des Rollenverhaltens von Mann und Frau darauf hin, daß der Mann auch feminine, die Frau dagegen maskuline Züge in sich berge: "Das Weib im Mann zieht ihn zum Weibe; der Mann im Weibe trotzt dem Mann" (T 1981). Diese Trotzreaktion, die schon Platner[1] ganz im Sinne Hebbels beschrieben hatte, wird von Freud auf ein sexuelles Motiv zurückgeführt:

> Die Defloration hat nicht nur eine kulturelle Folge, das Weib dauernd an den Mann zu fesseln; sie entfesselt auch eine hierarchische Reaktion von Feindseligkeit gegen den Mann, welche pathologische Formen annehmen kann, die sich häufig genug durch Hemmungserscheinungen im Liebesleben der Ehe äußern... (2)

Zu Beginn der zweiten Phase hatte Hebbel immer wieder auf die familiäre und untergeordnete Rolle der Frau hingewiesen. In der dritten Phase distanziert sich der Dichter dann weitgehend von dieser Betrachtungsweise, obwohl er auch hier noch die Anschauung vertritt: "Das Weib muß nach der Herrschaft über den Mann streben, weil sie fühlt, daß die Natur sie bestimmt hat, ihm unterwürfig zu sein..." (T 5648)

Hebbel betrachtet in der dritten Phase das Weib in stärkerem Masse als eigenständiges Wesen, ja sogar als "die idealste Erscheinung der Natur" (T 5653). Warum sich seine Ansichten in der letzten Phase gewandelt haben, läßt sich nur vermuten. Aller Wahrschein-

---

1) Hebbel ist in Bezug auf die Selbstbehauptung der Frau, wie sie erst in aller Deutlichkeit in seinen Tragödien zum Ausdruck kommt, vermutlich durch Platner beeinflußt worden. Dieser schreibt zu dem Phänomen des Trotzes: "Trotz ist ein Affekt, welcher die Behauptung des eigenen Willens zum Gegenstande hat..." Ernst Platner: Philosophische Aphorismen nebst einigen Anleitungen zur philosophischen Geschichte. 2 Bde. Leipzig 1776. Bd. II, S. 372.

2) Sigmund Freud: Das Tabu der Virginität. a.a.O. S. 179.

lichkeit nach hängt dieser Gesinnungswandel von dem persönlichen Erleben des Dichters ab, denn während er in der zweiten Phase an Elise immer nur das Mütterliche herausstellte, lernte er später in Emma Schröder und in Christine Enghaus zwei selbstbewußte und erfolgreiche Frauen kennen.

5) Schlaf und Traum

Hebbel hat sich sein ganzes Leben lang mit dem psychologischen Phänomenen Traum[1], dem Zustand des Menschen im Schlaf[2] und zahlreichen Traumerlebnissen beschäftigt. In der ersten Phase, in der der Dichter vor allem durch Schubert und Feuerbach beeinflußt worden ist, manifestiert sich jene Anschauung Hebbels, die die Erscheinung des Traumes als transzendentalen Eingriff in die Immanenz des Menschen deutet:

> Gar wohl kann es indeß auch geschehen, und ist es auch oft geschehen, daß die Seele, welche ihrer ganzen Natur nach nur bestimmt ist, der Spiegel einer höheren, mächtigeren, über ihr stehenden geistigen Ordnung zu sein, auch im Traume Strahlen von oben empfängt. (3)

Die Erscheinung des Traumes hängt dabei untrennbar von dem Zustand des Menschen im Schlaf ab. Bei der Suche nach einer Definition für das Phänomen Traum geht Feuerbach von einer empirischen Folgerung aus: "Aber was ist Traum? Die Umkehrung des wachen Bewußtseins"[4].

---

1) Notate zum Begriff Traum: T 578, T 695, T 1031, T 1039, T 1255, T 1265, T 1337, T 1346, T 1355, T 1421, T 1424, T 1347, T 1499, T 1522, T 1585, T 1775, T 2190, T 2301f, T 2333, T 2388, T 2430, T 2490, T 2495, T 2742, T 2774, T 2822, T 2889, T 3044f, T 3128, T 3539, T 3641, T 3840, T 3848, T 4702, T 5432, T 5478, T 5489, T 5788, T 5802, T 5920, T 5998, T 6133.

2) Notate zum Begriff Schlaf: T 1753, T 1831, T 1868, T 1998, T 2016, T 2072, T 2076, T 2092, T 2150, T 2367, T 2479, T 3723, T 4739, T 4888f, T 5424, T 5899.

3) G.H. Schubert: Symbolik des Traumes. a.a.O. S. 20.

4) Ludwig Feuerbach: Das Wesen des Christentums. a.a.O. S. 169.

Im Zustand des Schlafes sind alle geistigen Tätigkeiten des Verstandes aufgehoben, der Mensch befindet sich nun - so schreibt Schubert - in einer Art von Urzustand: "Der Schlaf bestehet seinem Wesen nach in einem Zurücksinken des Einzellebens in den Zustand, aus welchem dasselbe bei seiner Geburt sich zuerst entwickelte"[1].

So eng sich auch die Ansichten Hebbels in Hinblick auf die Themenkreise an Schubert und Feuerbach anknüpfen lassen, sind ihre Einflüsse auf den Dichter nur in groben Zügen nachweisbar. Liepe hat aber in seiner Analyse dieser ersten Entwicklungsphase feststellen können, daß solche Einflüsse tatsächlich vorhanden sind, wenn auch seine Forschungsergebnisse mitunter sehr allgemein ausfallen:

> Hebbels gesamtes dichterisches Werk ist durchwirkt von solchen parapsychologischen Phänomenen. In Traum, prophetischer Vision und anscheinendem Wunder bemächtigt sich das allgemeine Leben des menschlichen Gemeingefühls und bricht durch die Oberfläche der Wirklichkeit als höhere Realität hindurch. (2)

Erst als sich der Dichter zu Beginn der zweiten Phase mit der Naturphilosophie Schellings auseinandersetzt, wird die Wahrscheinlichkeit einer genauen Zuordnung größer. Im Jahre 1839 vermerkt er in seinem Tagebuch: "Schlaf ist das Hineinkriechen des Menschen in sich selbst" (T 1753) und einige Wochen später: "Der Schlaf ist das Siegel, das eine höhere Hand auf ein Wesen drückt" (T 1868). Diese Anschauungen, die ihm in der ersten Phase bereits weitgehend durch Schubert und Feuerbach vermittelt worden waren, greift er in der zweiten durch den unmittelbaren Einfluß Schellings erneut wieder auf: "Der Zustand des Schlafs z.B. wird betrachtet als ein Zustand der ausgelösten Sensibilität, wo der Organismus aufhört sein eignes Objekt zu seyn, und wo er als bloßes Objekt in die allgemeine Natur zurücksinkt"[3].

---

1) G.H. Schubert: Lehrbuch der Menschen- und Seelenkunde. a.a.O. S. 56.

2) Wolfgang Liepe: Die einsamen Kinder. In: Beiträge zur Literatur- und Geistesgeschichte. a.a.O. S. 311.

3) Fr.J.W. Schelling: Werke. Bd. II, S. 158.

Noch in späteren Jahren, als sich Hebbel bewußtseinsmäßig von der idealistischen Philosophie distanziert hatte, wirkt der Einfluß Schellings nach: "Der Schlaf ist die Nabelschnur, durch die das Individuum mit dem Weltall zusammenhängt" (T 4889). Ist der Schlaf nun die einzige Verbindung[1] zwischen Transzendenz und Immanenz des Individuums, so offenbart sich die Gottheit, "wenn wir einschlafen" (T 2076). Der psychische Zustand aber, der dieses göttliche Einwirken im Schlaf erst ermöglicht, ist der Zustand des Unbewußten. Der Traum als rätselhafte Erscheinung des schlafenden Menschen und als wesentliche Ausdruckstätigkeit des Seelischen hat den Dichter gerade deswegen so fasziniert, weil die Bilder des Traums auf verborgenste Geheimnisse des menschlichen Wesens verweisen: "Die menschliche Seele ist doch ein wunderbares Wesen und der Zentralpunkt all ihrer Geheimnisse ist der Traum" (T 1265). Aus diesem Grunde hat sich Hebbel auch sein ganzes Leben lang immer wieder mit eigenen Träumen beschäftigt. Uns interessieren hier aber weniger die persönlichen Traumerlebnisse Hebbels, die Elisabeth Seiler[2] analysiert hat, sondern vielmehr sein Verhältnis zu den Traumdeutungen der spekulativen und empirischen Psychologie.

Hebbel hat sich bereits im Jahre 1838 mit einem Vertreter der empirischen Richtung innerhalb der zahlreichen pseudopsychologischen Strömungen seiner Zeit auseinandergesetzt. Aber auch das zehnbändige Werk "Magazin zur Erfahrungsseelenkunde" von Karl Philipp Moritz vermochte ihm keine neuen Erkenntnisse auf diesem Gebiet zu liefern, obwohl es eine Fülle akkurat gesammelten Tatsachenmaterials enthält. Die Traumdeutungen dieses Werkes entsprechen nämlich noch ganz der spekulativen Betrachtungsweise,

---

1) Dazu schreibt Liepe: "Nur im Traum, wenn auch durch die Grenzen der Besonderung verwirrt, vernehmen wir noch die Bilder- und Gestaltensprache der gottverbundenen Natur". Wolfgang Liepe: Der Schlüssel zum Weltbild Hebbels: Gotthilf Heinrich Schubert. a.a.O. S. 144.

2) Elisabeth Seiler: Friedrich Hebbels Träume. In: Beiträge zu Friedrich Hebbels Charakterkunde. Ein psychologischer Deutungsversuch. Hebbel-Forschungen. Nr. XXII. Berlin/Leipzig 1932. Hrsg. von A.J. Friedrich Zieglschmid.

wenn Moritz z.B. schreibt:

> Mir scheinen diese Träume auch aus dem Grunde zum Beweise der Vorhersehung vermögens am besten gewählt zu seyn, weil die Vorhersehung gerade der allerzufälligsten Dinge, das Herauskommen einer Zahl in der Lotterie betrifft. (1)

Hebbel vertritt mitunter auch Ansichten, die er den mechanistischen Lehren der Materialisten entlehnt haben könnte: "Der Traum ist eine Hülle um das Ich, das Wachen ist eine andere, und alle diese Hüllen bedecken am Ende - ein Nichts" (T 1775). Solche Auffassungen, die für den Dramatiker aber keinen "praktischen" Wert haben, finden wir in seinen Tagebüchern vereinzelt vor.

Ist Hebbel von der ersten bis zum Ende der zweiten Phase durch Schubert und Schelling, weniger durch Moritz und Kerner[2] beeinflußt worden, so wirken in der dritten Phase vor allem Hamann, Carus und in geringerem Maße auch Burdach auf seine Ansichten ein. In einem Notat vom Jahre 1841 schreibt der Dichter: "Alle Träume sind vielleicht nur Erinnerungen!" (T 2333) Diese modern anmutende Traumdeutung geht sehr wahrscheinlich auf Hamann zurück. Dessen Einfluß wird an einem späteren Notat noch deutlicher, wo Hebbel auf die "Region des clair-obscur" der Seele und ihrem Ausdruck im Traum verweist:

> Wahnsinnige, verrückte Träume, die uns selbst im Traum doch vernünftig vorkommen: die Seele setzt mit einem Alphabet, das sie noch nicht versteht, unsinnige Figuren zusammen, wie ein Kind mit den 24 Buchstaben; es ist aber nicht gesagt, daß dies Alphabet an und für sich unsinnig ist" (T 2889).

Aber auch schon Schubert hatte auf die Bildersprache des Traums hingedeutet, "wo die Seele öfters, statt in Worten, in Bildern spricht..."[3]

Als sich Hebbel dann im Jahre 1847 mit der "Psyche" von Carus

---

1) Karl Philipp Moritz: Magazin zur Erfahrungsseelenkunde (als ein Lesebuch für Gelehrte und Ungelehrte). 10 Bde. 1783 - 1793. Bd. I, S. 81.

2) Kerner behandelt in der "Seherin von Prevorst" primär "Voraussagende Träume". S. 119 - 122. J. Kerner: Die Seherin von Prevorst. Eröffnungen über das innere Leben des Menschen und über das Hereinragen einer Geisterwelt in die unsere. 2. vermehrte und verbesserte Aufl., Stuttgart/tübingen 1832.

3) G.H. Schubert: Lehrbuch. a.a.O. S. 95.

beschäftigt, ist er bereits derart präformiert, daß er bei diesem keine neuen Erkenntnisse mehr entdecken kann[1].
Der Zustand des Menschen im Traum hat den Dichter aber auch gerade in Hinblick auf seine künstlerische Tätigkeit interessiert. Er sieht nämlich eine deutliche Verbindung zwischen künstlerischem Bewußtsein und Traum: "Der Zustand dichterischer Begeisterung (...) ist ein Traum-Zustand; so müssen andere Menschen ihn sich denken. Es bereitet sich in des Dichters Seele vor, was er selbst nicht weiß" (T 1585). Bornstein hatte schon darauf hingewiesen, daß Hebbel hier vor allem durch Novalis beeinflußt wurde, der das "traumhaft Visionäre des produktiven Zustandes" hervorhebt und den Traum als "bedeutend und prophetisch" bezeichnet, "weil er eine Naturseelenwirkung ist". Der Künstler ist somit nach Hebbel ein tätiges Individuum, das bis in die tiefsten Regionen des menschlichen Seins hinabzublicken vermag, ohne daß er weiß, was ihn schließlich erwartet.

---

1) Carus führt die Erscheinungen des Schlafs und Traums auf eine Einbettung des menschlichen Bewußtseins in das Unbewußte zurück und verweist auch auf das Erinnerungsvermögen des Traums: "Wissen wir nun, daß der Schlaf ein eigenthümliches Befangensein des Bewußtseins im Unbewußten, mit Aufheben des Wissens von einer wirklichen Welt und der Wirksamkeit gegen eine solche, dargestellt, so können wir auch begreifen, wie in diesem wunderlichen Zustande allerdings die Seele, eben wegen ihres tiefern Eingetauchtseins im Unbewußten, mehr als in ihrem freien bewußten Zustande participiren müsse an jenem Miteingeflochtensein im Allgemeinen und an dem Durchdrungensein von allem Räumlichen und Zeitlichen, wie es dem Unbewußten überhaupt zukommt. Von hier aus wird uns dann verständlich, wie dem im Unbewußten befangenen Bewußten nun im Schlafe oder Traume gleicherweise Manches zugänglich sein könne, was im Wachen ihm nimmermehr erreichbar sein wird". C.G. Carus: Psyche. Zur Entwicklungsgeschichte der Seele. 2. verbesserte und vermehrte Aufl., Stuttgart 1851. S. 238.

C) DIE PSYCHOLOGIE HEBBELS IN DER DRAMATISCHEN CHARAKTERGESTALTUNG

I) Transposition der Psychologie ins Dramatische

Hebbels Ringen um die innere Struktur seiner Charaktere geht vor allem von dem naturphilosophischen Menschenbild des ausgehenden 18. Jahrhunderts aus, bei dem die Individuen bereits in gewissem Maße tragisch prädeterminiert sind. Der Forderung Solgers, der Mensch "müsse vorzugsweise Gegenstand der Kunst"[1] sein, und dem Anliegen Schellings, im Drama sollen "Charaktere und Thaten vorgestellt werden"[2], ist Hebbel in starker Anlehnung an das philosophisch-psychologische Menschenbild Schuberts und Schellings gefolgt.

Der Dichter hat außer naturphilosophischen Anschauungen der Romantik auch Erfahrungen der Wirklichkeit[3] in seine Tragödien transponiert, die er einerseits der empirischen Psychologie entnommen, andererseits seinem eigenen Erleben abgerungen hat. Dieser Prozeß der Transposition vollzieht sich bei ihm unter der Voraussetzung und Beachtung gewisser Spielregeln der Ästhetik[4]. Hebbel ist in seinen dramatischen Ansichten von verschiedenen Autoren (Lessing, Schiller etc.) und Schulen (Aristoteles) beeinflußt worden, sein einzigartiger und eigenwilliger Dramatisierungsstil basiert jedoch primär auf den ästhetischen Anschauungen Schellings und Solgers, weniger auf denen Hegels.

---

1) K.W.F. Solger: Vorlesungen über Ästhetik. a.a.O. S. 158.

2) Fr.J.W. Schelling: Werke. 3. Ergänzungsband. S. 327.

3) Der Künstler muß sich an der Wirklichkeit orientieren, um nicht eine fiktive und sinnentleerte Welt darzustellen. Zu dieser Forderung Hebbels, die der Dichter im Anschluß an seine Lektüre von Thorwaldsens "Schiller" stellte (Vgl. dazu T 747), bemerkt Karl Jaspers mit Recht, daß die "bloß gewußte, nicht erlebte Welt (...) psychologisch wenig wirksam" ist. K. Jaspers: Psychologie der Weltanschauungen. 6. Aufl., Berlin/Heidelberg/New York 1971. S. 146.

4) Notate zum Begriff Ästhetik: T 641, T 1371, T 2686, T 3793, T 4221, T 4520, T 5668, T 5749, T 5816.

Gehen wir davon aus, daß sich Hebbel erst nach Vollendung der "Judith" im Jahre 1840 mit Hegels "Ästhetik" beschäftigt hat und sich in späteren Jahren sehr kritisch gegenüber dessen "Phänomenologie des Geistes" äußerte[1], müssen wir hier vor allem auf die ästhetischen Lehren Schellings und Solgers eingehen, obwohl der methodische Ansatz von Solgers Ästhetik sowohl auf Schelling als auch auf Hegel zurückgreift.
Alle relevanten Gesichtspunkte, die mit seiner Psychologie des Tragischen, mit der Motivierung und Charaktergestaltung des Dramas zusammenhängen, finden wir bereits in dem Zeitraum von 1838 bis 1840. Daher müssen wir hier zwangsläufig auf eine Erörterung der ästhetischen Ansichten Hegels verzichten.
Die wesentliche Bestimmung der Hebbelschen Tragödie betrifft primär die drei Elemente Idee, Charakter und Motivierung:

> Das neue Drama, wenn ein solches zustande kommt, wird sich vom Shakespearschen, über das durchaus hinausgegangen werden muß, dadurch unterscheiden, daß die dramatische Dialektik nicht bloß in die Charaktere, sondern unmittelbar in die Idee selbst hineingelegt, daß also nicht bloß das Verhältnis des Menschen zu der Idee, sondern die Berechtigung der Idee selbst debattiert werden wird. (T 2864)

Der Begriff Dialektik verweist zwar auf den unmittelbaren Einfluß von Hegel, da Hebbel eben in diesem Jahr das oben angeführte Notat verfaßt und Hegels Ästhetik gelesen hatte, doch muß ihm dieser Begriff schon seit 1837, nämlich nach seiner Lektüre von Solgers "Nachgelassenen Schriften" bekannt gewesen sein.
Dieses Prinzip der Dialektik, von dem Hebbel hier spricht, geht aber letztlich auf das Schellingsche Polaritätsprinzip zurück. Schelling weist auf die wesentliche Bestimmung des Dramas hin:

> Die höchste Erscheinung der Kunst ist also, da Freiheit und Nothwendigkeit die höchsten Ausdrücke des Gegensatzes sind,

---

1) Dazu T 3978: Die Hegelsche Philosophie sucht das Kunstwerk zur bloßen Materie zu machen, die nur im phänomenologischen Sinn, als letztlich abschließend und aufsummierend, auf Form Anspruch machen kann, während es eben abschließt mit der Phänomenologie.

> der der Kunst überhaupt zu Grunde liegt, ohne daß die Freiheit unterliegt, und hinwiederum die Freiheit obsiegt, ohne daß die Nothwendigkeit besiegt wird. (1)

Wenn Hebbel nach der Vollendung der "Judith" in seinen dramatischen Theorien auf das Prinzip der Dialektik eingeht, ist er schon weitgehend, ja in entscheidendem Maße, präformiert. Die spezifischen Einflüsse sind hier nicht immer deutlich nachzuweisen[2], denn neben Schelling ist es auch Solger, der den Dichter beeinflußt hat:

> Während Schelling im Tragischen den Kampf der subjektiven Freiheit gegen die objektive Nothwendigkeit, ihre Beteiligung durch den Untergang sah und der junge Hegel, die Selbstentzweiung und Selbstversöhnung der Sittlichkeit, erscheint bei Solger der Gedanke, daß die Tragik auf die Unvereinbarkeit von Idee und Existenz zurückgeht, auf den Eintritt des Göttlichen in die Gegensätze der Realität, die es sowohl vernichten als auch allererst offenbaren. (3)

Solger geht über Schelling hinaus, indem er die dramatische Gestaltung von der Zerspaltung der Idee[4] abhängig macht: "Die un-

---

1) Fr.J.W. Schelling: Werke. 3. Ergänzungsband. S. 341. Hebbel ist hier nicht nur von Schelling, sondern auch von Shakespeare und Fr. Schlegels Hamlet-Betrachtung beeinflußt worden. In seinem "Vorwort" zu "Maria Magdalene" schreibt der Dichter: "Das Shakespearsche Drama entwickelte sich am Protestantismus und emanzipierte das Individuum. Daher die furchtbare Dialektik seiner Charaktere, die, soweit sie Männer der Tat sind, alles Lebendige um sich her durch angemessenste Ausdehnung verdrängen, und soweit sie im Gedanken leben, wie Hamlet, in ebenso ungemessener Vertiefung in sich selbst durch die kühnsten entsetzlichsten Fragen Gott aus der Welt (...) herausjagen möchten". Bd. I, S. 308.

2) Siebert vertritt in diesem Zusammenhang die Ansicht, daß sich "Solgers und Hebbels Weltanschauung (...) nicht unwesentlich" unterscheiden, "aber die Tendenz, die Abkehr vom Idealismus" sie verbindet. Siebert: Die dualistischen Weltdeutungen Hebbels und Solgers im Gegensatz zu Hegels dialektischer Philosophie. a.a.O. S. 157. Der Verfasser ist hier der Auffassung, daß sich die Weltanschauungen Hebbels und Solgers deshalb so ähneln, weil sie beide von Schelling beeinflußt sind.

3) Peter Szondi: Versuch über das Tragische. a.a.O. S. 43.

4) Notate zum Begriff Idee: T 77, T 167, T 261, T 371, T 809, T 965, T 974, T 1019, T 1024, T 1038, T 1054, T 1101, T 1232, T 1460, T 1570, T 1574, T 1670, T 2026, T 2290, T 2605, T 2634, T 2680, T 2721, T 2730, T 2767, T 2864, T 2897, T 2947, T 2974, T 2978, T 3158, T 3323, T 3561, T 3914, T 3977, T 3993, T 4016, T 4262, T 4324, T 4360, T 4399, T 4421, T 4740, T 4894, T 4938, T 4984, T 5315, T 5387, T 5644, T 5695, T 5943.

mittelbare Einwirkung der Gottheit als einer persönlichen kann in der Tragödie nicht stattfinden, sofern die Gottheit Einheit der Idee ist"[1]. Schon in der "Judith", in der die unmittelbare Einwirkung des Göttlichen dargestellt wird, schlägt sich diese Forderung Solgers nieder:

> Die Gottheit selbst, wenn sie zur Erreichung großer Zwecke auf ein Individuum unmittelbar einwirkt und sich dadurch einen willkürlichen Eingriff (...) ins Weltgetriebe erlaubt, kann ihr Werkzeug vor der Zermalmung durch dasselbe Rad, das es einen Augenblick aufhielt oder anders lenkte, nicht schützen (...) Eine Tragödie, welche diese Idee abspiegelte, würde einen großen Eindruck hervorbringen durch den Blick in die ewige Ordnung der Natur, die die Gottheit selbst nicht stören darf, ohne es büßen zu müssen. (T 1011)

Das ist die beherrschende Idee des Dramas, und dieser Idee müssen die Charaktere zugeordnet werden, denn "schon zum Begriff eines Charakters gehört die Idee. Nur die Idee macht den Unterschied zwischen dramat. Charakteren und dramat. Figuren" (T 2730). Hebbel übernimmt auch vermutlich die Ansicht Solgers, daß "die Idee" nur "in historischer Gestalt in die Wirklichkeit"[2] treten kann.

Der besonderen Ausformung der historischen Charaktere bei Hebbel liegt die Absicht zugrunde, sie aus ihrer historischen Rolle zu befreien, um sie nach den psychologischen Gesichtspunkten seiner Zeit zu gestalten. Dieser Prozeß der Umgestaltung basiert dann auf seinem dramatischen Gesetz, daß die Charaktere nicht auf die "Katestrophe"[3] hin berechnet sein dürfen. Der Dichter hält sich hier vermutlich an die Schellingsche Theorie der Motivgestaltung:

> Die Grenze dieses Motivirens ist schon durch das Vorhergehende bestimmt. Soll es etwa auf das Herstellen einer recht empirisch-begreiflichen Nothwendigkeit gehen, so ist es ganz verwerflich, besonders wenn sich der Dichter da-

---

1) K.W.F. Solger: Vorlesungen über Ästhetik. a.a.O. S. 312.
2) ebd. S. 120.
3) Hebbel wendet sich daher gegen die Charaktergestaltung Lessings in der "Emilia Galotti": "Jedenfalls sind diese Charaktere zu absichtlich auf ihr endliches Geschick, auf die Katastrophe berechnet, und dies ist fehlerhaft..." (T 1496)

> durch zu der groben Fassungskraft der Zuschauer herablassen will. Die Kunst des Motivirens würde dann darin bestehen, dem Helden nur einen Charakter von recht großer Weite zu geben, aus dem nichts auf absolute Weise hervorgehen kann, indem also alle möglichen Motive ihr Spiel treiben können. (1)

Der historische Charakter bleibt in seiner "äußeren" Gestalt, sein Erleben also unangetastet, nur die Motive seines Handelns werden abgewandelt, vertieft und verschoben: "Die Motive vor einer Tat verwandeln sich meistens während der Tat und scheinen wenigstens nach der Tat ganz anders..." (T 1756). Die psychologische Gestaltung soll nämlich nicht demonstrieren, warum der Charakter so oder so handelt, sondern nur dessen Vermögen zu handeln, d.h. wie er handelt; denn "nicht, was der Mensch soll: was und wie ers vermag, zeige die Kunst" (T 1388). Hebbel ist hier nicht nur von Solger und Schelling beeinflußt worden, sondern auch von Hamann, der darauf hingewiesen hatte, daß das Individuum primär aus dem Unbewußten, seiner emotionalen Bestimmung, handelt.
Der Charakter erscheint somit einerseits determiniert, weil in seiner seelischen und geistigen Anlage unzulänglich und ambivalent, andererseits offen für die mannigfaltigsten Motive, die an ihn herangetragen werden. Er ist und bleibt letztlich immer abhängig von einer höheren Notwendigkeit, der er sich nicht zu entziehen vermag, und er ist weiterhin nicht in der Lage, die wahren von den unwahren Motiven zu unterscheiden, weil der Vorgang seelischer Entwicklungen im Unterbewußten vor sich geht.
In einer Kritik an Laubes Charakteren schreibt der Dichter einmal:

> Laube, in seinen Novellen spricht Verhältnisse aus, und bemüht sich um das Medium der Charaktere. Aber diesen Charakteren fehlt der eigentliche Lebenspunkt, das Allgemeine bildet sich in ihnen nicht zu einem Besonderen aus, das Schicksal muß dem Poeten malen helfen, wir wissen wohl, was ihnen begegnen kann, aber nimmer was wir tun werden. (T 960)

---

1) Fr.J.W. Schelling: Werke. 3. Ergänzungsband. S. 351.

War das Schicksal bei den griechischen Tragikern noch ein unheimliches, von den Göttern selbst gefürchtetes Phänomen, sieht Solger im Schicksal eine dem Charakter immanente Macht: "In der neueren Kunst hingegen macht der Charakter das Schicksal des Menschen"[1]. Hebbel stimmt mit dieser Anschauung Solgers vollkommen überein, obwohl er gelegentlich andere Aufassungen vertritt, indem er z.B. das Schicksal als eine rein transzendentale Erscheinungsweise des "göttlichen Willens" betrachtet. Für seine Tragödien trifft allerdings diese Ansicht zu: "Der Zufall ist ein Rätsel, welches das Schicksal dem Menschen aufgibt" (T 2313). Geht man schließlich von dieser innerdramatischen Sicht des Dichters aus und bezieht sie auf jene, die besagt, daß "das moderne Schicksal die Silhouette Gottes, des Unbegreiflichen und Unerfaßbaren" (T 1034) ist, dann vollzieht sich das "Unbegreifliche" im Menschen selbst.
Was Hebbel aber unter Zufall versteht, ist im Grunde genommen Notwendigkeit, denn wenn der Mensch nur so handeln kann, wie es der enge Spielraum seiner relativen Freiheit gestattet, so ist der Zufall "kausal bedingt"[2]. Hier wird dieser Zwiespalt deutlich, der sich von dem gestörten Gott-Mensch-Verhältnis auf die zwiefache Perspektive von Metaphysik und empirischer Psychologie zurückführen läßt, oder anders gesagt: der Dichter reflektiert die empirische Tatsache, daß das menschliche Verhalten weitgehend auf unbewußten Kräften basiert, auf der allgemeinen Dissonanz der kosmischen Welt.
Dieser mehrfache Bruch: die Zerspaltung des Göttlichen, die Abspaltung von Gott und Welt und die Aufspaltung der psychischen Struktur des Menschen in bewußte und unbewußte Kräfte ist auf verschiedene Schichten seiner Philosophie und Psychologie zurückzuführen, nämlich auf die modifizierten oder stärker abgewandelten Lehren Schuberts, Schellings, Feuerbachs, Solgers, Jacobis, Ha-

---

1) K.W.F. Solger: Vorlesungen über Ästhetik. a.a.O. S. 176.
2) Zu dieser Problematik bemerkt Jaspers: "Was unter einem Gesichtspunkt Zufall ist, kann unter einem anderen notwendig sein: was z.B. aus Zweckgesichtspunkten zufällig ist, ist kausal bedingt". Psychologie der Weltanschauungen. a.a.O. S. 270.

manns, Rousseaus, Helvetius , Holbachs, Moleschotts und Vogts. Der Dichter verlagert seine psychologische Perspektive von der esoterischen Psychologie Schellings bis hin zu den Ansichten der empirischen Psychologie und mitunter auch zu den vulgärmaterialistischen Lehrmeinungen der Physiologie. Was Michelsen als paradoxe "Grundstruktur des Hebbelschen Denkens" bezeichnet hat, basiert schließlich auf der Annahme dieser "vielfältigen Gegensätze"[1] durch den Dichter. Diese Gegensätzlichkeit ist von der Forschung zwar erkannt (indem sie das widersprüchliche Denken Hebbels herausstellte), jedoch nie den geistigen Strömungen seiner Zeit zugeordnet worden.

Wenn Hebbel in seiner Dramentheorie davon ausgeht, daß der Zufall "in jede menschliche Handlung" (T 795) hineinspielt, so bestimmt das Schicksal den Charakter des Menschen. Der Dichter folgert weiter: "Wir sollen handeln; nicht, um dem Schicksal zu widerstreben, das können wir nicht, aber um ihm entgegenzukommen" (T 1044). Darin liegt die kausale Erklärung des menschlichen Handelns: wir kommen dem Schicksal entgegen, indem wir in die Notwendigkeit des nur So-handeln-Könnens einwilligen. Vor dem Schicksal gibt es nämlich nur einen Schutz: "die Nichtigkeit" (T 1691), d.i. das Individuum, das sich der Notwendigkeit unterordnet. Lehnt sich der Mensch gegen das Schicksal auf, so stürzt er in den Abgrund, in "das Gefährliche, Bodenlose und Unbekannte, das Nächtliche und Undurchdringliche"[2].

Hebbels Psychologie des Tragischen erwächst auf dem Grunde des gestörten Bewußtseins von Individuum und Weltganzem. In dieser Hinsicht ist Hebbel ganz von der Philosophie Schuberts und Feuerbachs verhaftet. Wenn er aber davon ausgeht, daß der Mensch selbst ein pathologischer Fall[3] ist, weil die "Krankheit selbst (...) ei-

---

1) P. Michelsen: Das Paradoxe als Grundstruktur Hebbelschen Denkens. a.a.O. S. 80.

2) Benno von Wiese: Die Religion Büchners und Hebbels. a.a.O. S. 37.

3) Dazu schreibt Novalis: "Pathologische Philosophie. Ein absoluter Trieb nach Vollendung und Vollständigkeit ist Krankheit, sobald er sich zerstörend und abgeneigt gegen das Unvollendete, Unvollständige zeigt" (N 1722).

ne Erscheinung des Lebens" (T 2624) ist, so erweitert sich der Einflußbereich, in dem sich der Dichter nun befindet, auch auf Novalis, Rousseau, Jacobi und Benzel-Sternau, die die Gebrechen der Zeit aufgespürt und literarisch verarbeitet haben.
Krankheit ist schließlich das Unsittliche: "Das Unsittliche existiert überall nicht, es ist so wenig ein Element der Welt, als irgend eines Individuums, es ist eine Krankheit, die den Zustand zwischen Leben und Tod ausfüllt und sie beide ausschließt"[1].
Hebbel hat die unsittlichen Verhältnisse seiner Zeit zwar auch selbst zu analysieren versucht, doch hält er sich weitgehend an die gesellschaftlichen, ja soziologischen Untersuchungen eines Rousseau, Benzel-Sternau und Jacobi[2].
Diese Einflüsse sind von der Forschung bisher nicht berücksichtigt worden, wenn Wiese z.B. schreibt:

> Das Tragische wird zu einer bloßen Abweichung von der Norm, zum einseitig Partikularen, das die episch ausgewogene Totalität bedroht, der Dichter aber zum Diagnostiker moralischer Erkrankungszustände, die von der natürlichen Gesundheit des Normalen abweichen. (3)

Der Dichter hat zwar die Verhältnisse seiner Zeit untersucht, aber eben in starker Anlehnung an die gesellschaftlichen Diagnosen der oben angeführten Autoren. Aus seiner Forderung, daß "das Drama (...) keine neuen Geschichten" darstellen soll, "sondern neue Verhältnisse", ergibt sich zwangsläufig jene dramatische Sicht, die sich mit den kranken bzw. unsittlichen Zuständen in den Tragödien befaßt. Diese Zustände lassen sich schließlich nur auf der Basis der "sittlichen Idee" demonstrieren und heilen, denn "die sittlichen Ideen sind eine Art Diätetik des Universums" (T 2974).

---

1) In ähnlicher Weise schreibt Steffens: "Das thätige Temperament oscilliert zwischen Produciren und Zerstören, zwischen Geburt und Tod". H. Steffens: Anthropologie. Breslau 1822. 2 Bde., Bd. II, S. 144.

2) Hebbel hat Jacobis psychologischen Roman "Woldemar" wiederholt gelesen. Darin heißt es: "Die Dumpfheit des Gefühls, Verworrenheit des Herzens ist die allgemeine Krankheit". F.H. Jacobi: Woldemar. a.a.O. S. 47.

3) Benno von Wiese: Die deutsche Tragödie von Lessing bis Hebbel. a.a.O. S. 544.

Die Hebbelsche Tragödie will aber nicht nur die Unsittlichkeit[1] mit Hilfe der sittlichen Idee aufzeigen, sondern auch den sittlichen Zustand selbst wiederherstellen:

> Nur, wo das Leben sich bricht (...), nur wo die inneren Verhältnisse sich verwirren, hat die Poesie eine Aufgabe, und wenn es ihr verwehrt wird, sie hier zu suchen, wenn man sie, statt sie fragen: bringst du die Gesundheit, nämlich den geläuterten sittlichen Zustand wieder hervor, fragt, warum sie sich mit einem so häßlichen Fieber (...) befaßt, so ist kein dramatischer Messias möglich... Nur auf die Behandlung des Prozesses, und auf das Resultat (...) kommt es an...(T 3003)

In der Tragödie geht es schließlich um die Vernichtung des Unsittlichen bzw. Krankhaften. Um diese innere Vernichtung in sachgerechter Weise psychologisch zu motivieren, greift Hebbel einerseits nach den tiefenpsychologischen Erkenntnissen der Romantik:

> Der Mensch geht an der inneren Verlorenheit seiner Existenz auswegslos zugrunde - doch die ideelle Ordnung, deren Nichtigkeit oder Unangreifbarkeit solches Scheitern bedingt, gelangt nicht einmal mehr in der mittelbaren Form einer sehnsüchtig suchenden oder aufbegehrenden Klage oder Anklage zur Darstellung: vielmehr erschöpft ein Drama dieses Typus sich darin, die empirischen Erscheinungsformen menschlicher Nichtigkeit und Vernichtung faktisch zu konstatieren und psychologisch zu analysieren. (2)

In Hinblick auf die Notwendigkeit, das Kranke zu vernichten, hält sich der Dichter andererseits an medizinische Gesichtspunkte, wie aus einem Brief an Dr. Rendtdorff hervorgeht:

> Daß die Tragödie die Wunden auf eine andere Weise heilt, als die Chirurgie, wird und kann er nicht zugeben, aber Shakesp. und Aeschylos sagen ja. Er will Versöhnung, die will ich auch; aber er will die Versöhnung des Individuums, als ob das Tragische im Kreise der individuellen Ausgleichung möglich wäre! (T 2634)

---

1) Sittlichkeit ist für Hebbel auch Wahrheit, folglich ist Irrtum Krankheit. Das Individuum muß zur Wahrheit streben, indem es sich sittlich verwirklicht, denn "auch Sittlichkeit ist Wahrheit, ist Einsicht, ist die aus der Einsicht erwachsende Praxis geglückten Daseins". Wilhelm Keller: Das Problem der Willensfreiheit. Bern 1965. S. 48.

2) Klaus Ziegler: Wandlungen des Tragischen. a.a.O. S. 19. Ziegler hat es aber versäumt, darauf hinzuweisen, woher die psychologischen Kenntnisse Hebbels stammen.

Das Problem der Versöhnung[1] erweist sich für Hebbel daher als ein das Allgemeine betreffendes Prinzip, das keineswegs das Einzelinteresse eines Charakters berücksichtigen kann, denn "die Versöhnung im Tragischen geschieht im Interesse der Gesamtheit, nicht in dem des Einzelnen..." (T 2664) Das Individuum versündigt sich nämlich am Allgemeinen, indem es sich auf Grund seiner "Individuation" über die Gesetze des "Allebens" erhebt. Darum muß der Einzelne, der wider die Gesetze der Natur verstößt, vernichtet werden. Hebbel ist hier weitgehend von Solger beeinflußt worden:

> Der Mensch, heißt es, werde durch die Sinnlichkeit am Sittlichen gehindert, müsse aber seine Persönlichkeit dagegen behaupten. Von diesem Standpunkt erscheint das Tragische beruhend auf dem Widerspruche des Sinnlichen gegen den freien Willen. Äußere sinnliche Gewalt kann uns die Ausübung des freien Willens unmöglich machen, ja uns sogar vernichten...(2)

Nach Hebbels Ansicht kann man vom "Tragödien-Dichter" nicht verlangen, er solle die "sittliche Idee retten" und darüber hinaus "zugleich auch den Helden vor dem Untergang bewahren: eine solche Forderung wäre ebenso unvernünftig, "als wenn sie vom Arzt verlangten, daß er den Organismus nicht bloß von einer Krankheit befreien, sondern die Krankheit selbst auch, als eine individuelle Modifikation des allgemeinen Lebensprozesses respektieren und also am Leben erhalten soll" (T 3892).

Die zahlreichen Gebrechen seiner Zeit, vor allem der "Eigennutz"[3] bzw. Egoismus, die "Anomalien" der Gesellschaft und speziell das

---

1) Notate zum Begriff Versöhnung: T 1958, T 2578, T 2634, T 2635, T 2664, T 2776, T 2845, T 2972, T 2996, T 3003, T 3105, T 3158, T 3168, T 3257, T 3892, T 3909, T 4150, T 4328, T 6287.

2) K.W.F. Solger: Vorlesungen über Ästhetik. a.a.O. S. 99. Auch Peter Szondi weist auf den Einfluß Solgers, aber auch Hegels hin: "Diese Auffassung, deren dialektisches Wesen deutlich zutage liegt, ist von Hegel und Solger geprägt". Peter Szondi: Versuch über das Tragische. a.a.O. S. 42.

3) Der Dichter hält sich hier auch weitgehend an die Ansichten des Grafen von Benzel-Sternau, der vor allem die egoistischen Interessen der Gsellschaft herausstellt: "Und dies goldene Kalb der Menschen? Was es ist willst du wissen? Höre Alfred, und vergiß es nie - der Eigennutz ist's". Benzel-Sternau: Das goldene Kalb. Eine Biographie. a.a.O. S. 56.

Mißverhältnis zwischen den Geschlechtern[1], veranlassen Hebbel, der "schlechten" Gesellschaft seiner Zeit den Spiegel vorzuhalten.

Eine Versöhnung[2] kann schließlich nur dort stattfinden, wo "das Getrennte eins werden könnte" (T 3443). Dieser Ort, den Gurlitt "in einem höheren Leben" vermutet, ist Hebbel nur in der Sehnsucht bekannt. Daraus aber zu folgern, die Versöhnung vollziehe sich im Nichts, wäre ein Widerspruch psychologischer Art. Woran man glaubt, und wenn im stärksten Zweifel, ist das Unbedingte oder das "Glück", das einen erwartet: erst diese gläubige Sehnsucht gibt dem Leben einen Sinn, denn "das Selbst muß zugrunde gehen, damit nur das allein Wesenhafte, das Allgemeine, das das Jenseits ist, besteht"[3]. Und wäre das Nichts die einzige Alternative zu einem höheren Leben, so gäbe es auch keine "sittliche Idee".

Das Zerwürfnis von Gott und Mensch empfindet Hebbel durch seine innere "Leere", die er aber wiederum mit seiner Sehnsucht nach dem "Urzustand" ausfüllt. Das Nichts ist im Individuum selbst, während sich das Allgemeine als ein das individuelle Leben übergreifendes Prinzip offenbart, das nur im Tod zu erreichen ist.

---

1) Hier ist Hebbel vor allem durch die Lektüre von Rousseaus "Nouvelle Héloise" beeinflußt worden, wenn er z.B. schreibt: "Das Weib und die Sittlichkeit stehen in einem Verhältnis zu einander, wie heutzutage leider die Weiber und die Unsittlichkeit. Übrigens sind sie zu entschuldigen. Die Gesellschaft hat sie emanzipiert, statt, daß nur der Mann sie emanzipieren sollte" (T 627).

2) Die Versöhnungsidee Hebbels, die sich in einem zyklischen Kreis vollzieht, in dem sich das Individuum vom Weltganzen löst und schließlich wieder in das Allgemeine eingeht, erinnert an die Weltanschauung Heinrich von Kleists; doch geht der Hebbelsche Versöhnungsgedanke als ein Akt des Glaubens über das Drama hinaus.

3) Karl Jaspers: Psychologie der Weltanschauungen. a.a.O. S. 291.

HEBBELS PSYCHOLOGIE UND IHRE WURZELN

Naturphilosophie: 1.Phase: Schubert; 2.Phase: Schelling, steffens

Psychologie des Unbewußten: 1.Phase: Schubert, Feuerbach; 2.Phase: Schelling, Steffens, Novalis, Fr. Schlegel, Montaigne, Jacobi, Hamann; 3.Phase: Carus, Schopenhauer

Mechanistisch-materialistische Psychologie u. Physiologie: 1.Phase: Feuerbach; 2.Phase: Strauß; 3.Phase: Helvetius, Holbach, Moleschott, Vogt

Physiognomik: 2.Phase: Herder, Lichtenberg; 3.Phase: Lavater, Carus

Genetische Psychologie: 2.Phase: Herder, Steffens

Metapsychologie: 2.Phase: Kerner, Paracelsus, Eschenmayer

Idealismus/Dynamische Psychologie: 2.Phase: Fichte; 2./3.Phase: Hegel

Anthropologie: 2.Phase: Steffens; 3.Phase: Kant, Wilhelm von Humboldt

Metaphysik: 2.Phase: Spinoza, Leibniz, Wolff

Medizinische Psychologie: 2.Phase: Mittermaier, Kerner; 2./3.Phase: Hufeland; 3.Phase: Brücke, Feuchtersleben

Sprachpsychologie: 2.Phase: Herder, Hamann

Empirismus: 3.Phase: Hume

Charakterlehre: 2.Phase: Lichtenberg, Platner, Moritz, Steffens; 3.Phase: Carus, Burdach

Psychologische Romane: 2.Phase: Rousseau, Jacobi, Goethe, Moritz, Steffens

Biographie: 2.Phase: Benzel-Sternau; 3.Phase: Schubart

II)"Judith"- Grundkonzeption seines dramatischen Schaffens

In der "Judith" wird der Gegensatz[1] von Mann und Frau durch die eigenwillige Psychologisierungstechnik Hebbels bis an die Grenze einer dramatisch noch möglichen Ausdrucksform geführt. Ein solches Verfahren ist durchaus legitim, wenn es dem Dichter darum geht, das Tragische an den "Grenzsituationen"[3] des Lebens aufzuzeigen. Obwohl Kritiker auf die Vernachlässigung der "eigentlichen Seelentiefe"[2] zugunsten eines Psychologismus hingewiesen haben. Wenn Ziegler, der die Psychologisierung seiner Tragödien auf eine intuitive bzw. subjektivistische Gestaltungsweise zurückführt, schreibt, die inneren situativen Verhältnisse seien nur über das psychologisch definierte Erkennen gestaltet worden, so hat er Unrecht. Obwohl sich Hebbel weitgehend an die tiefenpsychologischen Erkenntnisse der "romantischen" Psychologie hält, aber auch an die Ergebnisse der empirischen Psychologie anknüpft, ist "Intuition" bei ihm das, was er in und aus den vielfältigen und zum Teil gegensätzlichen geistigen Strömungen seiner Zeit dramatisch verwertet und verbindet. Gerade deshalb hat sich auch Sigmund Freud mit der "Judith" auseinandergesetzt, weil die innere Motivierung der Judith selbst psychoanalytische Darstellungselemente enthält, die über ein intuitives Vermögen hinausweisen:

> Das Tabu der Virginität und ein Stück seiner Motivierung hat seine mächtigste Darstellung in einer bekannten dramatischen Gestalt gefunden, in der Judith in Hebbels Tragödie Judith und Holofernes. (4)

Der Gegensatz von Mann und Frau ist in der "Judith" schon des-

---

1) Eda Sagarra schränkt hier aber richtig ein: "Das zentrale Problem dieser Tragödie ist jedoch die Motivierung der ungeheuren Tat der Judith und deren Folgen für sie". Eda Sagarra: Tradition und Revolution. a.a.O. S. 215.

2) Klaus Ziegler: Wandlungen des Tragischen. a.a.O. S. 13.

3) K. Jaspers: Psychologie der Weltanschauungen. a.a.O. S. 229 ff.

4) Sigmund Freud: Das Tabu der Virginität. a.a.O. S. 178.

halb evident, weil jeder Hauptfigur ein Akt zufällt. Die Intention einer so formalen Gestaltung geht davon aus, daß zunächst einmal die Größe des jeweiligen Individuums in seiner ganzen Tragweite ausgeleuchtet wird, d.h. Vor- und Darstellung der Hauptfiguren und der sie bewegenden Motive. Und gerade durch das formale Mittel der Absonderung gelangt die psychologische Ausdeutung des Individuums "zum pathologischen Fall im tragischen Bereich"[1]. Inhaltlich intendiert eine derartige Gegenüberstellung den kommenden Konflikt zwischen Mann und Frau. Konflikte ergeben sich nämlich dort, wo zwei Willen aufeinandertreffen: "Holofernes und Judith überwältigen, ja vergewaltigen den anderen mit ihrem eignen Willen"[2].

Dieser Kampf um Selbstbehauptung wird vom Egoismus getragen, denn "große Menschen werden immer Egoisten heißen" (T 1869). Das im egoistischen Willen verwurzelte Ich verlangt nach Erhöhung und Selbstbehauptung.

Holofernes sieht sich kurz vor dem Ziel seiner Träume. Er spielt mit dem Gedanken, König Nebukadnezar zu beseitigen, um nach dessen Ermordung seine Macht absolut erfüllt zu sehen. Der assyrische Feldherr ist primär ein Verstandes- und Machtmensch: die allgemeinen negativen Merkmale des Machtmenschen sind Selbstüberhebung, Gewalttätigkeit, Menschenverachtung und Willkürwille. Bestätigung hierfür finden wir in Redewendungen wie "der angeklagte Hauptmann ist des Todes! (Zu einem Reisigen) Schnell. Aber auch der Kläger. Nimm ihn mit. Doch stirbt der Hauptmann zuerst"[3].

---

1) Martin Schaub: Hebbel. a.a.O. S. 29.

2) Helga Frisch: Symbolik und Tragik in Hebbels Dramen. 2. Aufl., Bonn 1963. S. 33.

3) Fr. Hebbel: Werke. Bd. I, S. 12. Ernst Platner, dessen "Phil. Aphorismen" Hebbel im Jahre 1837 gelesen hat, könnte den Dichter in Hinblick auf die Charakterisierung des Depoten durchaus beeinflußt haben. Seine psychologische Analyse despotischen Verhaltens enthält theoretisch jene "Hyperbolien", die Uechtritz an der Erscheinung des Holofern kritisiert: "Der despotische Stolz ist sehr verschieden nach der verschiedenen Beschaffenheit und Beträchtlichkeit oder Unbeträchtlichkeit der Gegenstände, in denen sich der Befehlsgeist zeigt. Bisweilen ist er verbunden mit kaltblütig lachender Tücke; bald entstehet er aus Kleinbedenklichkeit und Kurzsichtigkeit (...), Muthwillen, Plagegeist und Schadenfreude; bald aus Uebereilung und Vorwitz". Ernst Platner: Philosophische Aphorismen. a.a.O. S. 341.

Dieser radikale Vernichtungswille, der sich von Fall zu Fall steigert, muß an dem Hebbelschen Prinzip des Sich-begrenzen-Müssens scheitern, denn "des Mannes Natur ist das Unbegrenzte, darum muß er sich zu begrenzen suchen" (T 2309).
Seine Gier macht ihn blind für echte Gefahren, und indem er das Schicksal herausfordert, ihm, dem Übermenschen, einen gleichwertigen Partner an die Seite zu stellen, ist sein Ende schon vorherbestimmt. Es gibt nämlich für Holofernes keinen gleichwertigen Partner, einen Gegner, der ihm in seiner Macht und seinem Auftreten ebenbürtig wäre. Die Größe eines Mannes liegt aber gerade in seiner Einzigartigkeit[1]. Deshalb kann der Kampf nur mit einem Partner ausgetragen werden, der auf einer anderen Ebene steht und den Kampf ungleich werden läßt.
Holofernes ist ohne Mutterliebe aufgewachsen und hat aus diesem Grund nicht das Gefühl der Liebe verinnerlichen können. Ja, er kennt nicht einmal das Wort Liebe, wenn er bekennt: "Solch ein Wort hört ich noch nicht"[2]. Irgendwelche Bindungen an Mitmenschen erscheinen deshalb von vornherein unmöglich: "erst diese Mutterlosigkeit macht ihn ganz frei von allen Bindungen, stößt ihn in jene Einsamkeit hinaus, in der er überall nur noch sein eigenes Echo vernimmt..."[3]
Das motiviert auch die Konstanz seines Verhaltens[4]; er ist am Ende noch immer der kaltblütige und einsame Mensch, der im Zustand der Selbstsucht verharrt. Der Dichter entschuldigt gleich-

1) Hebbel sieht die historische Gestalt so vorurteilslos und doch so positiv eingenommen, wie es im "Woldemar" zum Ausdruck kommt: "Menschen, die ein inneres Freyheitsgefühl Göttlich über ihr Zeitalter erhebt, sind das wahre eigentliche Salz der Erde; und was ihr Beruf von ihnen fordert, halte ich für wohl gethan, wenn auch Zeitgenossen und Nachwelt sie für Tyrannen, Schwärmer, Bösewichter schelten. Ohne sie würde die Menschheit stinkend". F.H. Jacobi: Woldemar. a.a.O. S. 426.

2) Friedrich Hebbel: Werke. Hanser Ausgabe. a.a.O. S. 57.

3) Benno von Wiese: Die deutsche Tragödie von Lessing bis Hebbel. a.a.O. S. 578.

4) Eda Sagarra spricht hier zu Recht von der "hölzernen Steifheit" des Holofernes. Eda Sagarra: Tradition und Revolution. a.a.O. S. 215.

sam diesen - an sich negativen - Grundzug seiner Verhaltensweise, wenn er schreibt: "Man wirft Napoleon Selbstsucht vor - was bleibt denn einem solchen Mann, außer Selbstsucht!" (T 700) Wittkowski dagegen versucht die Persönlichkeit des assyrischen Feldherrn ein wenig abzuschwächen, indem er sagt, daß "der radikale Vernichtungswille und die kalte Grausamkeit dieses Übermenschen (...) nur in dessen Phantasie, als bloß intendierte Ziele"[1] zu sehen sind.

Diese Überlegungen widersprechen jedoch dem Gedanken der Selbstverwirklichung, da der Vernichtungswille triebgebunden und durch die Mutterlosigkeit motiviert ist. Ein Mensch, dem das kalte Räsonnieren durch die Umwelt erleichtert wird, weil sich niemand gegen ihn zu erheben wagt, und der seine Ziele aus der Autonomie seines Willens ableitet, ein solcher Mensch vernichtet bewußt. Seine Phantasie wird nur rege, wenn er z.B. resignierend feststellen muß: "Es ist öde, nichts ehren zu können, als sich selbst"[2].

Der Charakter der Judith ist vielschichtiger und weitaus komplizierter angelegt als der ihres Antagonisten. Sie ist primär Weib und Gefühlsmensch:

> Es kostete mir Überwindung, sie Mutter zu nennen; ich glaubte, meine Mutter müsse das in ihrem Grab fühlen und es müsse ihr weh tun. (3)

Die Vorgeschichte zeigt also, daß sich Judith zunächst von anderen Frauen ihres Alters nicht wesentlich unterscheidet. Sie lebt, so ein Wort von Novalis, wie alle Frauen "im eigentlichen Naturzustande" (N 2069). Erst nach dem seelischen Trauma, das ihr Manasses zugefügt hat, beginnt sie sich innerlich zu verändern. Dieser Prozeß wird durch Selbstvorwürfe und Schambezeugungen eingeleitet: "Ich fing an, heftig zu weinen und verabscheute mich"[4]. Im Anschluß an diese Szene eröffnet sich in ihr eine Welt des

---

1) Wolfgang Wittkowski: Hebbels "Judith". In: Hebbel in neuer Sicht. Hrsg. von Helmut Kreuzer. S. 164 - 184. Hier: S. 169.
2) Friedrich Hebbel: Werke. Hanser Ausgabe. a.a.O. S. 61.
3) ebd. S. 20.
4) ebd. S. 21.

Zweifels und des Mißtrauens: "Ich springe in den Ewigen hinein, wie Verzweifelnde in ein tiefes Wasser"[1].
Ihre Erwartungen in die Welt, vor allem aber in den Mann, haben sich nicht erfüllt; sie fühlt sich einsam und verlassen, zumal das Weib nur etwas sein kann im liebenden Bezug, denn "eine jede Frau ist eine verhüllte Knospe, nur für den einen Geliebten in der stillen Verhüllung geboren..."[2] Hebbel bemerkt dazu in seinen Tagebüchern: "Das echte Weib ist seinem eignen Gefühl nach nichts für sich, es ist nur etwas in seinem Verhältnis zum Mann, Kind oder Geliebten - wie zeigen dies Elisens Briefe" (T 2927).
Der Dichter geht also hier primär von seinem eigenen Erleben aus, obgleich ihn in Hinblick auf dieses Thema einige Autoren beeinflußt haben, und legt diese Erfahrung als fundamentales Problem in die Gestalt der Judith: "Ein Weib ist ein Nichts; nur durch den Mann kann sie etwas werden; sie kann Mutter durch ihn werden"[3].

Judith fühlt sich also nicht nur in ihrer Weiblichkeit verletzt, sondern sie ist auch schuldig geworden, weil sie der gebärenden Natur ihren Dank versagt hat; denn "das Kind, das sie gebiert, ist der ewige Dank, den sie der Natur für ihr Dasein entgegenbringen kann"[4].
Aus diesen Gründen, wobei das Motiv der Eitelkeit noch hinzukommt, erwächst in ihr als Trotzreaktion gegenüber dem männlichen Geschlecht das Verlangen nach Rache[5].

---

1) ebd. S. 22.
2) H. Steffens: Anthropologie. a.a.O. S. 449.
3) Friedrich Hebbel: Werke. Hanser Ausgabe. a.a.O. S. 23.
4) ebd. S. 23. In dieser Redewendung spürt man noch die persönliche Rechtfertigung seines Verhaltens gegenüber Elise, nachdem er sein Verhältnis mit ihr aufgelöst hatte. Während er nämlich noch in seinen theoretischen Ansichten die Meinung vertritt, daß das Weib nur etwas sein kann "in seinem Verhältnis zum Mann, Kind oder Geliebten", reicht hier allein die Mutterschaft aus.
5) In Bezug auf die Trotzreaktion gegenüber dem Mann und das Verlangen nach Rache, das bei Judith zur Rachsucht ausartet, schreibt Platner: "Rachgier wesentlich nicht unterschieden von der Feindschaft, ist der Affekt eines Menschen, welcher beeifert ist, seinen schon überwundenen und zu gegenwärtigen Angriffen unfähigen Beleidiger zu bestrafen, d.h. dessen Kraft durch Leiden noch mehr zu schwächen, und ihn zugleich die Unnatürlichkeit seiner Beleidigungen empfinden zu lassen". Phil. Aphorismen. a.a.O. S. 367.

An dem Mann, der sie in diese Verzweiflung trieb und der ihr nicht mehr mitteilen konnte, warum er sich ihr versagt hat, kann sie sich nicht mehr rächen. So verallgemeinert sie das Versagen eines Mannes, indem sie Ephraim vorwirft: "und ist deine Feigheit die deines ganzen Geschlechts"[1]. Das Verhältnis der Geschlechter ist somit von Grund auf gestört, denn alle Versuche echter menschlicher Interaktion scheitern an den "Irrungen" des Einzelnen. Nur so können wir Judiths Worte deuten, als sie über ihr Verhältnis zu Manasses spricht:

> Wir gingen so eins neben dem andern hin, wir fühlten, daß wir zueinander gehörten, aber es war, als ob etwas zwischen uns stünde, etwas Dunkles, Unbekanntes. (2)

Liebe scheint in ihr völlig erloschen zu sein, wenn sie rückblikkend das Versagen des Mannes auf die fehlende Subjektsetzung des Weibes durch den Mann zurückführt. Sie fühlt sich entehrt, weil der Mann sie nicht geschlechtlich unterworfen hat:

> Hebbel hat die patriotische Erzählung aus den Apokryphen des Alten Testaments in klarer Absichtlichkeit sexualisiert, denn dort kann Judith nach ihrer Rückkehr rühmen, daß sie nicht verunreinigt worden ist, auch fehlt im Text der Bibel jeder Hinweis auf ihre unheimliche Hochzeitsnacht. Wahrscheinlich hat er aber mit dem Feingefühl des Dichters das uralte Motiv verspürt, das in jene tendenziöse Erzählung eingegangen war, und dem Stoff nur seinen früheren Gehalt wiedergegeben.(3)

Andererseits braucht Judith diese Unterwerfung, um ganz Weib zu sein. Ihre paradoxe Seinsweise liegt nun darin, noch Jungfrau, aber schon Witwe zu sein, und "die jungfräuliche Witwe empfindet sich als Gezeichnete und sucht nach einer Antwort für ihr unerfülltes Frauenleben"[4]. Erst in Holofernes findet sie jene geballte Männlichkeit, "er ist ein Mann"[5], die sie zur Verwirklichung ihrer

---

1) Friedrich Hebbel: Werke. Hanser Ausgabe. a.a.O. S. 27.
2) ebd. S. 22.
3) Sigmund Freud: Das Tabu der Virginität. a.a.O. S. 178.
4) Werner Keller: Nachwort. In: Friedrich Hebbel: Werke. Hanser Ausgabe Bd. V, S. 963 - 993. Hier: S. 967.
5) Friedrich Hebbel: Werke. Hanser Ausgabe. Bd. I, S. 60.

Rache braucht.

Judith und Holofernes sind in ihrer charakterlichen Erscheinung einander ähnlich, gerade was den Egoismus und die Selbstsucht anbetrifft. Und sie sind beide von ihrer Umwelt isoliert, da sie sich nicht in andere einzufühlen vermögen. Während Holofernes aber ein extravertierter Typus ist, erscheint Judith introvertiert, vor allem durch ihre betonte Ichhaftigkeit und einem stark ausgeprägten Illusionismus. Helmut Kreuzer schreibt dazu: "Der Mann ist in Hebbels Welt nach außen gerichtet, die Frau nach innen"[1]. Holofernes orientiert sich immer am objektiv Gegebenen, obwohl er sich zuweilen subjektiv überschätzt, Judith dagegen an der subjektiven Erscheinungswelt. Diese Subjektivität[2] wird für Judith zum Ausgangspunkt all ihres Denkens und ihrer Vorstellung über das Dasein. Sie mißtraut ihrer Umwelt, weil sie das Vertrauen in sich selbst verloren hat. Der Bezug zur Realität ist dehalb weitgehend aufgehoben: Illusionismus und Mystizismus sind die Folgen, denn "Judith ist fortan besessen von dem, was not tut in der Welt"[3].

---

1) Helmut Kreuzer: Hebbels "Gyges und sein Ring". In: Hebbel in neuer Sicht. S. 300.

2) Stellvertretend für die gängige Ansicht der "romantischen" Psychologie, die das Weib als ein subjektiv denkendes und handelndes Wesen betrachtet, zitieren wir hier die Anschauung von Carus: "Nicht ohne Ursache haben schon von jeher Dichter und Psychologen die Seele des Weibes ein schwer zu entziffferndes Geheimnis genannt. Eben weil die Zeichnung seiner Eigentümlichkeiten, welcher, seine Originalität verborgener, sein ganzes Leben innerlicher ist, spiegelt es sich weniger scharf in dem Äußern, ja schon dadurch, daß das Gemüt, in seinen dunkeln nebulösen Zuständen, das recht eigentliche Lebensprinzip hier ausmacht, muß das Dasein zurückgezogener bleiben, als in einem Falle, wo, wie in dem Manne, Leben und Tun mehr im Erkennen und Vollbringen sich bewegt". C.G. Carus: Symbolik der menschlichen Gestalt. Ein Handbuch zur Menschenkenntnis. 3. vielfach vermehrte Aufl., Celle 1925. S. 501. Hebbel ist in dieser Hinsicht aber vor allem durch Rousseau und Jacobi beeinflußt worden.

3) Wolfgang Wittkowski: Hebbels "Judith". a.a.O. S. 164. Noch deutlicher verweist Gerd Kleinschmidt auf das Verhalten Judiths: "Bei Judith gewinnt man sofort den Eindruck eines primär aus dem Unterbewußten heraus lebenden Menschen, der sein Dasein nicht begriffen und es nicht begreifen kann". Gerd Kleinschmidt: Die Person im frühen Drama Friedrich Hebbels. Lahr 1965. S. 28.

Sie hat somit ihr eigenes Problem verallgemeinert und ohne sich hierüber bewußt zu sein, ihren Drang nach Rache als überpersönliches Moment zu rechtfertigen versucht. Ihr seelischer Schmerz mündet in eine totale Fixierung und Abstrahierung ihres problematisch gewordenen Daseins. Judith braucht eine höhere Rechtfertigung ihrer Tat, nämlich den Auftrag Gottes.

Die Religiosität, die in ihr wie in ihrem Volk einst tief verwurzelt war, wird zum Fundament ihrer Scheinmotivierung. Sie beruft sich auf Gott, der ihr im Traum erschienen ist, ruft die Gottheit an und wartet auf eine Antwort, die sie unbewußt schon längst vorweggenommen hat, und "der Traum Judiths veranlaßt alles, was sie nachher empfindet und tut, sie wird gerade nach dem Traum gottbesessen"[1].

Judith sucht Zuflucht in einer Gottheit, die von einigen Interpreten durch die "Nihilismusthese" geleugnet wird. Wittkowski hat die noch nicht gelöste Streitfrage, ob ihr Bezug zu Gott echt oder eine Selbsttäuschung ist, aufgenommen und folgendermaßen beantwortet: "Die Schuldthese setzt Gottes Wirklichkeit und Wirksamkeit in diesem Drama voraus"[2]. Hebbel selbst hat die Gottheit nie vollkommen negiert; dazu hat er sie existentiell zu sehr vertieft:

> Mit seinen bohrenden Fragen nach dem Sinn der Geschichte gerät Hebbel bis an die Grenze des Nihilistischen, aber selbst bei den schwersten Bedenken gegen Fortschritt, Nutzen und Ziel des historischen Verlaufs wird diese Grenze doch niemals überschritten. (3)

Daß Judith ihren Gott aus weiblicher Grundgestimmtheit verkennt, bedeutet nicht, daß die Gottheit überhaupt nicht existiert. Sie

---

1) Helga Frisch: Symbolik und Tragik in Hebbels Dramen. a.a.O. S. 29. Schon Karl Philipp Moritz hatte darauf hingewiesen, daß "der meiste Selbstbetrug bei den religiösen Empfindungen stat(findet)". K.Ph. Moritz: Magazin zur Erfahrungsseelenkunde. Bd. III, 3. Teil, S. 32.

2) Wolfgang Wittkowski: Hebbels "Judith". a.a.O. S. 164.

3) Klaus Geißler: Das Bild der Gesellschaft in Friedrich Hebbels Tagebüchern. In: Friedrich Hebbel. Der einsame Weg. a.a.O. S. 491.

bleibt hier existent und transparent in der Idee der Liebe. Judith klammert sich an jene Liebe, die "sich in den Kampf mit der ganzen Welt" (T 2051) wagt. Sie verkennt aber, daß es sich bei ihr nur um "Selbstliebe" handelt, indem sie etwas von ihrem Gott fordert, was er ihr nicht zu geben vermag: eine Bejahung ihrer persönlichen Absichten.
Die Schuld Judiths resultiert schließlich nicht daraus, daß sie sich rächt, sondern daß sie sich "nur ihrer persönlichen Gründe bewußt" ist: so Hebbel in einem Brief an Madame Stich vom 23.4. 1840. Der Dichter sieht ihr Versagen durch den Verlust ihrer Eigentlichkeit motiviert, die sich ins Unbegrenzte bzw. in der Maßlosigkeit verliert.

> Judith wird nicht geführt von einem persönlichen Glauben, sondern steigert vielmehr die eigne Persönlichkeit durch eine ebenso unbedingte wie unbewußte Bezogenheit auf ein rätselhaft über ihr Stehendes zu einer fast männlichen Größe und Stärke... (1)

Judith glaubt, die Männer Israels seien zu feige, jene große Tat zu vollbringen, die da heißt, "den Widersacher Gottes" zu beseitigen. Das ist jedoch eine nachträgliche Motivierung ihrer Tat. Zunächst ist sie gewillt, ihre persönlichen Rachegedanken zu verwirklichen. Dazu braucht sie eine höhere Rechtfertigung! Sie tritt daher in einen Dialog mit ihrem "persönlichen Gott", in den sie sich mystisch hineinversenkt. Dieser Mystizismus erwächst auf dem Grunde ihres Unterbewußtseins; ihr Gott aber bleibt ein Gott der Finsternis, wenn sie sagt, "in mir und außer mir bleibts dunkel"[2].

Dieses Gebet, in das sie sich selbstvergessen versenkt, wird schließlich zur Selbsttäuschung, zumal sie die Gottheit in einer Art von selbsthypnotischem Zustand auffordert, sich zu erkennen zu geben, und erleichtert ausruft: Du bists, du bists!"[3] Diese Szene der Judith hat Hebbel in ähnlicher Weise motiviert,

---

1) Helga Frisch: Symbolik und Tragik in Hebbels Dramen. a.a.O. S. 29.
2) Friedrich Hebbel: Werke. Hanser Ausgabe. a.a.O. S. 20.
3) ebd. S. 28.

wie Feuerbach diesen Zustand gesehen und beschrieben hat.

> Im Gebet redet der Mensch Gott mit Du an; er erklärt also laut und vernehmlich Gott für sein anders Ich; er beichtet Gott, als dem ihm nächsten, innigsten Wesen, seine geheimsten und innigsten Wünsche, die er ausserdem scheut, laut werden zu lassen. Aber er äußert diese Wünsche, in der Zuversicht, in der Gewißheit, dass sie erfüllt werden. (1)

Als Judith dann vor den Spiegel[2] tritt, projiziert sie ihre Wünsche und Ziele in ihr Spiegelbild: in eine irrationale Judith, die bis zum Mord an Holofernes in diesem Zustand verharrt; schließlich begeht sie die Tat nicht aus der Eigentlichkeit des Bewußtseins, sondern aus der Uneigentlichkeit unterbewußter Antriebe.

---

1) L. Feuerbach: Vom Wesen des Christentums. a.a.O. S. 147. Hebbel könnte hier aber auch von Kerner beeinflußt worden sein. In der"Seherin von Prevorst" beschreibt er den Zustand der Frau H. während und nach einem magnetischen Schlaf: "An dem gleichen oben erwähnten zweiten Mai, gegen 9 Uhr Nachts, verfiel Frau H. ungewöhnlicherweise wieder in magnetischen Schlaf, in dem sie wieder aus sich herausgeführt wurde. Da rief sie: "ach Gott!". Dieses Wort "ach Gott!" aber tönte wie gehaucht. Sie erwachte wie unter dem Ausrufen dieses Wortes und sagte: sie habe sich wie doppelt gehört, als hätten zwei aus ihr gesprochen" (S. 131). Kerner bezeichnete dieses Verhalten als "Zustand des Innern". Judith ruft in einem eben solchen verinnerlichten Zustand die Gottheit an und glaubt sie schließlich zu vernehmen. Diese Aufspaltung Judiths in zwei Personen, die schon im Traum anklingt: "Gott! Gott! rief ich in meiner Angst, - hie bin ich! tönte es aus dem Abgrund herauf..." (Fr. Hebbel: Werke. a.a.O. S. 19), interpretiert Liepe so: "Der Abgrund, in den Judith stürzt, ist von der Philosophie des Absoluten und im besonderen von Schellings Theosophie gesehen zugleich der Abgrund des eigenen Ich". Wolfgang Liepe: Hebbel und Schelling. a.a.O. S. 235. Hebbel selbst weist aus eigner Erfahrung auf die Spaltung des Ich hin: "Es ist unbegreiflich, aber wahr: wie man sich im Traum in mehrere Persönlichkeiten auflöst, so kann man sich auch im Wachen in zwei Wesen zerspalten, die wenig voneinander wissen..." (T 1355)

2) Das Dingsymbol "Spiegel" nimmt in der "Judith" insofern eine wichtige Funktion ein, als er das "geistige Auge" bzw. das Innerste erwachen läßt. Mirza: "Du solltest lieber in solchen Augenblicken vor einen Spiegel treten" (Bd. I, S. 23). Judith tritt vor einen Spiegel: "wenn dein Bild in einem trüben Spiegel entstellt und verzerrt erscheint" (Bd. I, S. 51). Auch das Messer übernimmt hier die Funktion des Spiegels: "Es ist so blank, daß ich mein eigenes Bild darin erblicken kann" (Bd. I, S. 57). Zur Bedeutung des Spiegels schreibt Kerner: "Seifenblase, Glas und Spiegel. Auch diese glänzenden Gegenstände erweckten ihr geistiges Auge". J. Kerner: Die Seherin von Prevorst. a.a.O. S. 106.

Das Motiv der Rache wird als eine "spezifische Form des Schmerzes" empfunden, "in der sich das Ich erst eigentlich als Ich erfährt"[2]. Das Ichhafte in der Jüdin fühlt sich entehrt und erniedrigt und verlangt nach Selbstbehauptung. Hier setzt nun der eigentliche Individualisierungsprozeß ein. Indem sich Judith aber zu verselbstigen beginnt, trennt sie sich mehr und mehr vom Allgemeinen.

Der Dichter gestaltet das Handeln Judiths deterministisch, indem er sie primär aus persönlichen Motiven heraus handeln, aber der Notwendigkeit des stärksten Motivs unterliegen läßt. Aus der persönlichen Motivation erwächst in ihr eine Rache, die sich im Laufe der Handlung bis zur Rachsucht steigert, so daß Ephraim schon zu Beginn des Dramas erschreckt ausruft: "Judith, du bist so mutig, daß du aufhörst, schön zu sein"[3]. Judith benutzt ihre äussere Schönheit bewußt als Waffe im Kampf gegen den Mann, wenn sie sagt: "Meine Schönheit ist die der Tollkirsche; ihr Genuß bringt Wahnsinn und Tod"[4]. Zu diesem Verhalten der Jüdin schreibt Sigmund Freud:

> Als der assyrische Feldherr ihre Stadt bedrängt, faßt sie den Plan, ihn durch ihre Schönheit zu verführen und zu verderben, verwendet so ein patriotisches Motiv zur Verdeckung eines sexuellen. (5)

Denn obwohl sie gewillt ist, Holofernes zu töten, unterliegt sie zunächst dem stärkeren erotischen Motiv, das sie von dieser Tat abhält. Judith sieht nämlich in dem Feldherrn König Nebukadnezars das Idealbild eines Mannes und zögert mit der Ausführung des Mordes, weil er "ihr privat-persönliches Dasein erfüllen könnte"[6]. Sie fühlt sich diesem Mann einfach sexuell unterlegen; das wird vor allem durch ihren zwanghaft auferlegten Haß deut-

---

2) Benno von Wiese: Die Religion Büchners und Hebbels. a.a.O. S. 33.
3) Friedrich Hebbel: Werke. Hanser Ausgabe. a.a.O. S. 24.
4) ebd. S. 23.
5) Sigmund Freud: Das Tabu der Virginität. a.a.O. S. 178.
6) Wolfgang Wittkowski: Hebbels "Judith". a.a.O. S. 181.

lich:

> Spring auf, mein Herz! Halte nichts mehr zurück! (Sie richtet sich auf) Ja, ich hasse dich, ich verfluche dich und ich muß es dir sagen, du mußt wissen, wie ich dich hasse, wie ich dich verfluche, wenn ich nicht wahnsinnig werden soll! Nun töte mich! (1)

Während Judith hier noch mit sich selbst kämpft und einen Augenblick lang ihren "Auftrag" vergißt, versucht sie etwas später den vorgetäuschten Haß zu verinnerlichen, denn ohne dieses überpersönliche Rachegefühl vermag sie Holofernes nicht zu töten. In den starken Armen des Despoten erstickt ihr Haß immer wieder. Und gerade in dieser Szene zeigt sich die Ambivalenz ihres Verhaltens. Ist sie einerseits voll männlicher Kraft, kommt andererseits wieder das Weib zum Vorschein, als sie "schaudernd, indem sie auf das frische Blut deutet", zu dem Feldherrn sagt: "Herr, ich bin ein Weib"[2].
Der Auftrag wird ihr erst wieder dann bewußt, als sie sich durch die Worte Holofernes, "dich töten? morgen vielleicht; heute wollen wir erst miteinander ins Bett gehen"[3], in ihrer Weiblichkeit verletzt fühlt. Er behandelt sie wie ein austauschbares Objekt, das man nur kurz gebraucht bzw. mißbraucht, um es dann fortzuwerfen; und Judith steht schließlich "nur noch in eigner Sache vor Holofernes - wie ein Ding gebraucht"[4].
Judith wird sich jetzt erst ihrer Sache ganz sicher: "Wie ist mir auf einmal so leicht! Nun darf ichs tun!"[5] Sie bedarf also eines äußeren Anstoßes, um die Ausführung der Tat vor sich zu rechtfertigen, obwohl sie ihn auch selbst als Ding behandelt. Die persönliche Absicht, die Tat zu vollbringen, verstärkt sich dadurch, daß sie von dem Feldherrn als eigenständiges Individuum abgewiesen wurde. Hebbel verzögert aber auch hier die Ausführung der Tat und läßt Judith weiterhin unentschlossen sein: "Hör auf,

---

1) Friedrich Hebbel: Werke. Hanser Ausgabe. a.a.O. S. 59.
2) ebd. S. 57.
4) Werner Keller: Nachwort. In: Friedrich Hebbel: Werke. a.a.O. S. 977.
3) Friedrich Hebbel: Werke. Hanser Ausgabe. a.a.O. S. 59.
5) ebd. S. 59.

hör auf! Ich muß ihn morden, wenn ich nicht vor ihm knieen soll"[1].

Judith ist derart verwirrt, daß sie nicht einmal mehr in der Lage ist zu beten. Auch nachdem Holofernes seine Maßlosigkeit bis hin zur Gotteslästerung steigert, "stürz hin und bete mich an"[2], führt sie die Tat nicht aus. Aber nach dem Beischlaf, der sie zugleich entzückt wie auch entsetzt: "die entehrenden Küsse, die noch auf meinen Lippen brennen"[3], ist die entschlossen den, schlafenden Holofernes zu töten.
Noch deutlicher zeigt sich die Ambivalenz ihrer Gefühle, als sie Mirza von ihren nächtlichen Erlebnissen erzählt:

> Auf die Knie warf ich mich nieder vor dem Gräßlichen und stöhnte: verschone mich! Hätte er auf den Angstschrei meiner Seele gehört, nimmer, nimmer würd ich ihn - - doch, seine Antwort war, daß er mir das Brusttuch abriß und meine Brüste pries. In die Lippen biß ich ihn, als er mich küßte. Mäßige deine Glut! Du gehst zu weit! hohnlachte er und - o, mein Bewußtsein wollte mich verlassen, ich war nur noch ein Krampf, da blickte mir was Glänzendes ins Auge. Es war sein Schwert. An dies Schwert klammerten sich meine schwindelnden Gefühle an, und hab ich in meiner Entwürdigung das Recht des Daseins eingebüßt: mit diesem Schwert will ichs mir wieder erkämpfen! Bete für mich! jetzt tu ichs! (4)

Abermals steigert sie ihr Rachegefühl, indem sie sich ekelnd das Bild vor Augen hält, Holofernes würde sie im Traume ein zweites Mal entehren. Kurz entschlossen enthauptet sie ihn.
Nach dem Mord beginnt Judith über ihre Tat nachzudenken, denn "erst nach der Tat, im Gespräch mit Mirza, findet sie die nötige Distanz, um die wahren Gründe ihrer Tat zu erkennen"[5]. Zunächst weist sie darauf hin, daß sie ein großes persönliches Opfer gebracht habe:

> Es ist mehr als eine Heldentat; ich mögte den Helden sehen, den seine größte Tat nur halb so viel gekostet hat, wie mich die meinige. (6)

---

1) ebd. S. 60.
2) ebd. S. 62.
3) ebd. S. 64.
4) ebd. S. 66.
5) Klaus Ziegler: Mensch und Welt in der Tragödie Friedrich Hebbels. a.a.O. S. 22.
6) Friedrich Hebbel: Werke. Hanser Ausgabe. a.a.O. S. 67.

Doch dann fällt ihr wieder ein, daß ihr Volk unter der sich abzeichnenden Schreckensherrschaft des assyrischen Feldherrn gelitten hat, und sie motiviert ihre Tat zunächst mit der Rechtfertigung: "Das Elend meines Volkes peitschte mich hierher"[1]. Dieses überpersönliche Motiv wird von Mirza aber verneint. Judith gelangt schließlich zu der Erkenntnis:

> Nein, - nein, - du hast recht, - das wars nicht, - nichts trieb mich, als der Gedanke an mich selbst. (2)

In Mirza findet sie den Spiegel der Wahrheit, durch den sie wieder in die Ralität zurückfindet. Judith fühlt nun unterschwellig, daß sie als ein "Werkzeug" mißbraucht wurde, als sie die Rechtfertigungsgründe ihrem Volk überläßt:

> Mich triebs, die Tat zu tun; an euch ists, sie zu rechtfertigen! Werdet heilig und rein, dann kann ich sie verantworten. (3)

So steht Judith schließlich wie Hebbel selbst vor einem Gott, "von dem ich wußte, daß ich ihn in mich aufnehmen, aber ihn nicht erreichen könne" (T 134). Diese dualistisch-religiöse Haltung gehört zum Wesen der Judith, denn sie kennzeichnet ihr Schwanken zwischen persönlichen und überpersönlichen Motiven. Sie ist aber auch ganz allgemein auf die Geschichtlichkeit des Menschen relativiert:

> Die Erscheinung des Propheten ist gewissermaßen der Gradmesser des Ganzen; sie deutet auf die Stufe der damaligen Weltentwicklung, sie zeigt, daß das geschaffene Leben noch nicht so weit entfesselt war, um der unmittelbaren Eingriffe der höchsten, göttlichen Macht enthoben zu sein und sie entbehren zu können. (T 1958)

Judith hat sich zwar selbst behaupten können, aber nur auf dem Wege der Verunreinigung. Gegenüber der Gottheit, die sie für ein sinnvolles Dasein benötigt, fühlt sie sich nichtig, weil sie er-

---

1) ebd. S. 67.
2) ebd. S. 68.
3) ebd. S. 74.

kannt hat, daß sie von ihr mißbraucht und psychisch vernichtet wurde. Was Judith im Namen Gottes ausführte, nämlich ihren und seinen Feind zu ermorden, weist sie nun in Hinblick auf die religiösen Rachgefühle ihres Volkes, die im Grunde auch nur persönliche sind, als "Schlächter-Mut"[1] zurück. Vanhelleputte hat die Entwicklung Judiths hier nicht richtig erkannt und gedeutet, wenn er schreibt: "Judith est passé de l' aliénation à l'authenticité, de la schizophrénie a l' acceptation d'elle-même..."[2]

Die "Judith" zeigt, daß der Dichter hier noch ganz der Philosophie Feuerbachs verhaftet ist. Das emotional-religiöse Verhalten muß Judith in die Vernichtung führen, denn "wer keinen Verstand hat, lässt sich verführen, von Anderen als Mittel gebrauchen"[3]. Hebbel ist in Übereinstimmung mit Feuerbach davon ausgegangen, daß die Religion zur "Entzweiung des Menschen mit sich selbst" führt, indem der einzelne "sich Gott als ein ihm entgegengesetztes Wesen gegenüber(stellt)"[4]. So verhält sich auch Judith! Gott selbst bleibt aber der Welt fern; sein willensmässiger Eingriff in die Geschichte vollzieht sich durch die Natur selbst, die ihm als "Werkzeug" dient. Die Natur aber steht gegen Gott, und daher muß er sein Werkzeug wieder vernichten. Darin liegt die Tragik der Gottheit: sie kann den Menschen, mit dessen Hilfe er seinen Willen vollzieht, nicht vor dem Untergang retten. Diese Gesichtspunkte umreißen die Idee der Hebbelschen Tragödie, die eben primär aus der Idee lebt (Vgl. T 1011 und T 2864); die psychologische Gestaltung ist dagegen nur ein Mittel, um das Ideelle Gestalt werden zu lassen.
Der Mensch muß daher lernen, ohne die Gottheit auszukommen. Judith hat diese Konsequenz am Ende und zugleich Anfang ihres Leidensweges scheinbar erkannt; indem sie aber ihre Sehnsucht erneut auf

---

1) ebd. S. 74.
2) Michael Vanhelleputte: La modernité de la "Judith" de Hebbel. In: Études Germaniques 18, 1963. S. 419 - 431. Hier: S. 431
3) Ludwig Feuerbach: Das Wesen des Christentums. a.a.O. S. 48.
4) ebd. S. 41.

Gott richtet und hofft, daß ihr "Schoß unfruchtbar"[1] bleibe, ist sie wieder in ihren einstigen Zustand verfallen.
In seinen Tragödien geht es Hebbel schließlich weder um den physischen Bestand des Individuums noch um die alleinige Existenzberechtigung des Allgemeinen, sondern um das "Abspiegeln" der Welt auf dem Grunde der "sittlichen Idee". Der Dichter hält der Gesellschaft seiner Zeit, vor allem aber den "reichen Weiber-Individualitäten", einen Spiegel vor Augen, indem er in "Judith" das vierfache Schuldigwerden eines Weibes demonstriert: Judith hat aus persönlichen Antrieben gehandelt, sie hat Gott "verraten durch die Treulosigkeit ihrer Sinne, die Holofernes zu fesseln vermochte"; sie hat gegen das Grundprinzip der Natur verstoßen, "weil sie die Grenzen der Frau überschritt", sie hat ihr Volk im Stich gelassen und ist schließlich "schuldig vor sich", weil sie "ihrem dunklen Drang"[2] folgte.

---

1) Friedrich Hebbel: Werke. Hanser Ausgabe. a.a.O. S. 75.
2) Werner Keller: Nachwort. a.a.O. S. 967.

III) Die Charaktere und ihre tragischen Erlebnisinhalte

Hebbels Bemühen um die Gestaltung seiner Charaktere geht davon aus, daß er diese aus der "Totalität" charakterologischer Phänomene zu klassifizieren versucht. In einem Hinweis an seine Kritiker, daß ein Dichter auch mitunter wissenschaftlich vorgehen muß, schreibt Hebbel:

> Wäre es den Menschen doch endlich beizubringen, daß der dramatische Dichter sich in demselben Sinn auf jede Spezies menschlicher Charaktere einlassen muß, wie der Naturforscher auf jede Tier- und Pflanzengattung, gleichviel, ob sie schön oder häßlich, giftig oder heilsam ist, indem er die Totalität darzustellen hat. (T 4908)

Diese Auffassung über die dramatische Gestaltung der Charaktere wandte sich insbesonders gegen jene, die von der Lehrmeinung Lavaters ausging, "daß nicht nur die Arten und Rassen der Geschöpfe, nicht nur Klassen, Geschlechter der Menschen, sondern auch alle Gesichter von individueller Ausprägung seien. Auf der anderen Seite wisse man von der Verschiedenheit der Gemütslagen und des Temperaments"[1]. Hebbel hält sich vielmehr an die Anschauung Goethes, daß man den Charakter nur in seinem augenblicklichen Zustand festhalten könnte. Daher sind die folgenden Worte von Novalis auch für Hebbels Ansicht bezeichnend: "Es gibt kein reines Temperament" (N 2399).
Hebbel kam es nicht darauf an, die Eigenart eines Individuums aus seiner spezifischen Wesenheit, sondern das Individuelle aus dem Allgemeinen zu entwickeln und darzustellen: "Zeichne den

---

1) Wilhelm Hehlmann: Geschichte der Psychologie. a.a.O. S. 114. Hehlmann weist ferner darauf hin, daß die "Individualpsychologie" Lavaters auch noch in späteren Jahren zahlreiche Künstler beeinflußte: "Die Woge der Begeisterung für Lavaters Lehren ebbt schnell ab, und gegen Ende des Jahrhunderts sind die öffentlichen Diskussionen so gut wie verstummt. Das besagt aber nicht, daß die Gedanken ausgelöscht wären. Durch viele Kanäle fließen sie in publizistische und dichterische (...), aber auch in wissenschaftliche Versuche ein..." ebd. S. 114.

Menschen, aber zugleich die Menschheit, die hinter ihm steht: was hätte der Dichter sonst noch zu sagen?" (T 6275) Diese Anschauung, die vor allem Goethe und Carus verfochten haben, ist ihm vermutlich bereits in der ersten Phase durch Feuerbach vermittelt worden: "Die Wissenschaft ist das Bewußtsein der Gattungen. Im Leben verkehren wir mit Individuen, in der Wissenschaft mit Gattungen"[1].

Die psychologische Methode Hebbels, das individuell Prägnante der menschlichen Gattung herauszukristallisieren, basiert auf dem Verfahren der Introspektion, einer soziologischen Analyse der gesellschaftlichen Verhältnisse und der Übernahme von Erkenntnissen der spekulativen und empirischen Psychologie.

Die neuere Forschung hat mich Recht auf die synthetische Verfahrensweise des Dichters hingewiesen, er habe seine Erkenntnisse aus der korrelativen Betrachtung von introspektiven und gesellschaftlichen Analysen gewonnen; dieses Verfahren ist jedoch von der Forschung überbewertet worden.

Das ist umso erstaunlicher, als andererseits auf die Bildungsproblematik des Dichters verwiesen wurde. Wenn der Dichter noch im Jahre 1854 an Uechtritz schreibt, daß er "nicht der Mann der Definitionen" sei, aber in zahlreichen Notaten genaue und zum Teil auch wissenschaftliche Definitionen liefert, muß er in Hinblick auf viele psychologische Ergebnisse, die seinen Tagebüchern zugrundeliegen, von fremder Seite beeinflußt worden sein. Das gilt nicht nur für seine theoretischen, sondern auch für bestimmte dramatische Ansichten.

Charakter ist nun für Hebbel das, was der Mensch von Natur aus an psychischen Qualitäten besitzt und was den Menschen notwendig auf den Tod hinführt, "weil der einmal so und nicht anders beschaffene Charakter auch nur diesen und keinen anderen Weg wandeln und also dem daherbrausenden Sichelwagen des Todes nicht ausweichen kann" (T 6262).

---

1) Ludwig Feuerbach: Vom Wesen des Christentums. a.a.O. S. 1.

Daraus ergibt sich für die dramatische Konzeption, daß eine bestimmte Situation, die "in rein zufälliger Gestalt auftritt" (T 4501) und von "außen" an das Individuum herangetragen wird, in Zusammenspiel mit dem individuellen Handeln und der Veranlagung des Charakters zum Schicksal des Menschen wird. Das Schicksal ist für Hebbel, der hier von Schelling und Solger beeinflußt ist, die Verarbeitung eines existentiellen Konfliktes in Bezug auf das Handeln.

Was nun die Entfaltung der Charaktere auf der Bühne betrifft, muß der Dichter, "um in der Ökonomie seines Stückes den nötigen Gewinn zu ziehen, ihnen gar nicht erst besondere Entschlüsse, d.h. Anläufe zu bestimmten Taten" (T 4119) zugrundelegen. Hierin sieht Hebbel den wesentlichen Unterschied zu den Verhaltensweisen des Menschen im täglichen Leben: während "die menschlichen Charaktere (...) oft genug in Situationen" gestellt sind, "die ihnen nicht entsprechen", so gehen im Drama "die Verhältnisse aus der Natur des Menschen mit Notwendigkeit"[1] hervor.

Die Darstellung der dramatischen Charaktere ist zwar auf menschliche Verhältnisse relativiert, denn "mit vorwissenschaftlichen charakterologischen Vorstellungen arbeiten die Dichter von jeher ..."[2], aber in stärkerem Maße auf wesentliche Daseinsprobleme projiziert.

Für die psychologische Ausdeutung der Hebbelschen Tragödie ergeben sich schließlich zwei wesentliche Gesichtspunkte: ein anthropologischer, der die Geschlechtertragik behandelt, und ein metaphysischer, der die dem Menschen a priori zugrundeliegende Wesenstragik betrifft. In letzter Konsequenz baut sich aber die Geschlechtertragik auf der individuellen Wesenstragik des Menschen auf, nämlich auf der Unzulänglichkeit des Ich, sich in dem anderen

---

1) T 4218. Schon Schelling hat in seiner Ästhetik gefordert, der Charakter müsse in sich absolut sein, "so daß ihm das Äußre nur Stoff ist, und es in keinem Fall zweifelhaft seyn kann, wie er handelt..." Fr.J.W. Schelling: Werke. 3. Ergänzungsband. a.a.O. S. 351.

2) Albert Wellek: Psychologie. 2. Aufl., Bern 1963. S. 68.

einfühlend widerzuspiegeln bzw. auf dem gestörten Verhältnis von Ich und Weltganzem.

> Wenn wir in der Geschlechtertragik auch nicht das zentrale Problem von Hebbels Tragödie sehen können, so ist es doch sicherlich richtig, daß Hebbel von dieser Seite her, negativ und positiv, mit einem Jahrhundert zusammenhängt, das wie keines vor ihm die Frage nach dem Rechte der Frau und von hier aus nach der Psychologie und Metaphysik der Geschlechter in den Mittelpunkt des theoretischen und künstlerischen wie politischen Interesses gestellt hat. (1)

Sengle hat mit Recht darauf hingewiesen, daß "die Polarität von Ich und Welt", wie schon zuvor für Goethe, jene "zentrale Bedeutung gewinnt"[2], die das Drama Hebbels kennzeichnet.
Das gestörte Verhältnis zwischen Individuum und Weltganzem ist nämlich Bedingung für den das menschliche Verhalten bestimmenden Irrtum. Und aus dem Irrtum[3] erwächst das Böse, weil der Mensch nie Klarheit über seine Verhältnisse erlangt oder - wie Judith - seine wahren Motive verkennt. Die Liebe scheint zwar ein Mittel zu sein, diesem Zustand wirksam zu begegnen, doch erweist sie sich letztlich als zu ambivalent.
Der Begriff Liebe ist zwar bei Hebbel am engsten mit dem Begriff Vertrauen (= "die größte Selbstaufopferung" (T 5400)) verknüpft, aber sie zerbricht selbst an einem solchen ungetrübten Verhältnis, wie es sich in der Vorgeschichte von Herodes und Mariamne zeigt. Dieses scheitert an der Sinnlichkeit des Herodes und an dem Selbstbehauptungswillen der Mariamne. Der auf den zentralen Konflikt vorausdeutende Dialog in I/3 macht dies deutlich:

> Herodes. O nein! o nein! Ich teilte ja mit dir!
> Du aber sprich: ein Übermaß von Liebe,
> Wie dieses wäre, könntest dus verzeihn?

---

1) Friedrich Sengle: Das deutsche Geschichtsdrama. Geschichte eines literarischen Mythos. Stuttgart 1952. S. 157.

2) ebd. S. 159.

3) Steffens schreibt zu der Bestimmung des Irrtums: "Jeder Irrthum entspringt aus dem Bösen, ja er ist ein Böses, wie die Krankheit, aber keine Bosheit, er ist wie diese ein Böses, dessen Ursprung als solches, nicht erkannt wird". H. Steffens: Die Karikaturen des Heiligsten. a.a.O. S. 168.

Mariamne. Wenn ich nach einem solchen Trunke auch nur
Zu einem letzten Wort noch Odem hätte,
So flucht ich dir mit diesem letzten Wort! (1)

Ein Verhältnis, das durch Leidenschaft oder Sinnlichkeit bestimmt ist, muß an der sich daraus ergebenden Objektsetzung scheitern. Herodes fürchtet insgeheim die erotische Triebhaftigkeit seiner Frau, weil sie ihm nicht den Treueeid leistet, und unterstellt ihr somit ein fehlendes Bewußtsein liebender und ehelicher Zugehörigkeit. Sowohl Mariamne als auch Herodes werden zum Objekt einseitiger Interessen, denn "das Dramatische besteht eben darin, daß beide Teile recht und unrecht haben, weil die Welt in sich selbst zwiespältig ist"[2].
Der Dichter schreibt einmal zu Beginn seines Tagebuches: "Leidenschaft begeht keine Sünde, nur die Kälte" (T 145). Hebbel greift hier auf das physikalische Polaritätsprinzip Schellings zurück, das auch in der medizinischen Literatur Beachtung fand: Ch. Hufeland lehrte nämlich, daß "die Kälte der Hauptfeind alles Lebens sei", die eigentliche 'Lebenskraft"[3] aber die Wärme. Indem Hebbel nun die Kälte der Leidenschaft als ein natürliches Prinzip zuordnet, so ist für ihn Sünde, "was so wenig aus einer Leidenschaft als aus der Tugend hervorgeht" (T 1279); Tugend[4] aber ist Gesundheit (Vgl. T 1772). Judith macht sich z.B. schuldig, weil ihre Leidenschaft als Auswuchs der Tugend "aus dem zu lebhaften Gefühl individueller Existenzberechtigung" (T 1488) entspringt.

Hebbel spricht hier im Grunde ein gesellschaftliches Problem an, wenn er sagt, daß das, "was in anderen Zeiten Sünde war: sich auf sich selbst beschränken", in seiner Zeit Tugend ist.

---

1) Friedrich Hebbel: Werke. Hanser Ausgabe. a.a.O. S. 500.
2) Robert Petsch: Wesen und Form des Dramas. a.a.O. S. 168.
3) Ch. W. Hufeland: Makrobiotik oder die Kunst das menschliche Leben zu verlängern. a.a.O. S. 36 - 38. Auch Novalis differenziert die Leidenschaft in: "leidenschaftliche Wärme - leidenschaftliche Kälte" (N 2055). Warme Leidenschaft ist für Hebbel wahre Liebe, kalte Leidenschaft Sinnlichkeit.
4) Notate zum Begriff Tugend: T 593, T 1030, T 1191, T 1283, T 1302, T 1364, T 1431, T 1747, T 1772, T 1942, T 2121, T 2140, T 2652, T 2717, T 2739, T 2970, T 3056, T 3228, T 4718, T 5244.

Der Dichter gelangt hier über die gesellschaftlichen Diagnosen Rousseaus, Benzel-Sternaus und Jacobis zu der Ansicht, daß die Verhältnisse seiner Zeit überaus "lasterhaft" entwickelt sind, und zwar in den spezifischen Erscheinugsformen der Sinnlichkeit, des Eigennutzes, der Selbstüberhebung, der Entwürdigung des "Heiligkeitsrechtes der Person", der Maßlosigkeit, der Vereinzelung und der doppelbödigen Moral: "Die Bestialität hat jetzt Handschuh über die Tatzen gezogen. Das ist das Resultat der ganzen Weltgeschichte" (T 842).
Der Dichter greift diese unsittlichen Zustände auf und transponiert sie als existentielle Grundkonflikte in seine Tragödien. Die Verwirklichung der Hebbelschen Charaktere vollzieht sich schließlich in der Tragödie, indem sich der einzelne auf der Basis dieser Verhältnisse aktiv behauptet. Dieser Prozeß der "Individuation" vollzieht sich bei Judith, Mariamne, Rhodope und den übrigen Frauengestalten. Aus der Objektsetzung durch den Mann entspringt der sich immer wieder erneuernde Konflikt, in dem der einzelne sein Gegenüber nicht als Subjekt zu integrieren vermag, sondern vielmehr aus der Distanz triebhaft-egoistischer Stimmung behandelt: "die bürgerliche Welt versinnbildlicht" somit Hebbels "zentrales Anliegen, die tragische Isolierung des Menschen"[1].
Kandaules bricht mit Gewalt in die Intimsphäre, d.i. die sittliche Autonomie, seiner Gattin ein und erlistet sich sexuelle Stimulanz, indem er seine Gattin unbekleidet zur Schau stellt. Auch hier dominiert wieder das Verfahren der Objektsetzung und einer daraus resultierenden Isolierung der Partner. Nicht anders verhält es sich in der "Genoveva", in der die Sinnlichkeit und Leidenschaft Golos auf das "Objekt" Genoveva gerichtet ist: "Ja, fühlen würde sies in tiefster Brust, daß ich ein Opfer ihrer Schönheit sei..."[2]
Die Schönheit ist allen Frauengestalten Hebbels gemein. Ihre

---

1) Eda Sagarra: Tradition und Revolution. a.a.O. S. 217.
2) Friedrich Hebbel: Werke. Hanser Ausgabe. a.a.O. S. 103.

Schattierungen reichen von der naiven Lieblichkeit Klaras bis hin zu der Exotik Rhodopes. Aus dieser Schönheit erwächst die Sünde und macht das Weib schuldig, denn "die Schönheit - und Schönheit ist für Hebbel ein sittlicher Wert - weckt gerade dort, wo sie erkannt und menschlich ersehnt wird, die Sünde"[1]. Gemeinsam ist ihnen auch der Stolz, die Undurchdringlichkeit und Introvertiertheit. Judith flüchtet sich derart in ihre Innerlichkeit, daß sie an der "Dämonie" ihres Unterbewußtseins zu erstikken droht. Mariamne zieht sich nach dem schweren Vertrauensbruch in sich selbst zurück und verstummt nach außen hin. Rhodope sucht nach der Erniedrigung durch Kandaules wieder die ihr ureigene Sittlichkeit auf.

Während also die Triebhaftigkeit des Mannes auf das Äußere gerichtet ist, wendet sich die Frau nach innen. Die Liebe scheitert immer wieder an der Objektsetzung. Und es ist der Mann, dessen übersteigerte Selbstsucht gleichsam in der Gestalt des Holofernes personifiziert erscheint, der das Du zum Objekt macht. Mariamne spricht diese Einsicht in die Egozentrizität des Mannes am deutlichsten aus, wenn sie resignierend feststellen muß:

So war das mehr,
Als eine tolle Blase des Gehirns,
Wie sie zuweilen aufsteigt und zerplatzt,
So wars -
Von jetzt erst fängt mein Leben an,
Bis heute träumt ich! (2)

Hebbel vermerkte dazu in seinen Tagebüchern: "Der Mensch kann plötzlich einen Tag, einen Moment erleben, der ihm seine ganze Vergangenheit aufklärt" (T 1059). Die Erkenntnis Mariamnes ist schließlich in die wenige Worte gefaßt: "ich war ihm nur ein Ding und weiter nichts"[3].

---

1) Benno von Wiese: Die deutsche Tragödie von Lessing bis Hebbel. a.a.O. S. 582. Schon Lavater hatte sich die Frage gestellt, ob "die Ausdrücke der moralischen Schönheiten auch körperlich schön" sind und positiv beantwortet. J.K. Lavater: Gott schuf den Menschen sich zum Bilde. In: J.C. Lavaters ausgewählte Werke. Hrsg. von Ernst Staehelin. Bd.II, Zürich 1943. S. 134.

2) Friedrich Hebbel: Werke. Hanser Ausgabe. a.a.O. S. 529.

3) ebd. S. 530.

Eine Ausnahme hat Hebbel mit seiner sozialpolitischen Tragödie "Agnes Bernauer" geschaffen. In diesem Drama zerbricht die Liebe keineswegs an jenem politischen Kalkül, das von Albrecht fordert, er solle Agnes aufgeben. Diese leidet zwar unter der Liebe, aber allein um der Liebe willen, die auch ihr Tod nicht auszulöschen vermag. Genoveva zeigt zwar ein ähnliches Verhalten, indem sie ihrem Mann unbedingte Treue wahrt, aber nicht um der Liebe selbst willen, sondern aus religiöser Not, wenn sie Gott bittet: "tritt zwischen mich und ihn"[1].
Das ist das geniale künstlerische Geschick Hebbels: er läßt seine Grundvorstellung des Liebeskonfliktes in all seine Tragödien eingehen, variiert und motiviert die psychologische Entwicklung der Charaktere auf verschiedene Weise und bleibt letztlich doch dem existentiellen Grundkonflikt, dessen Ausdrucksformen er steigert oder abschwächt, verhaftet. In der "Judith" dominiert die erotische Affektgeladenheit, in "Herodes und Mariamne" die "Dämonie" der Leidenschaft, in der "Agnes Bernauer" bleibt die Liebe letztlich unangetastet.
Das Weib, das sich schließlich behaupten will, antwortet auf die Objektsetzung entweder mit Racheabsichten oder mit einem auf die Transzendenz gerichteten Dulden. Schon Kant hatte in seiner "Anthropologie", die Hebbel im Jahre 1841 las, darauf hingewiesen, daß das "Dulden" eine "weibliche Tugend"[2] sei. Doch darf man hier nicht übersehen, daß es sich keineswegs um Frauengestalten[3] handelt, die eine vollständige Emanzipation anstre-

---

1) ebd. S. 129.
2) I. Kant: Anthropologie in pragmatischer Hinsicht. a.a.O. S. 257.
3) Hebbel hat wahrscheinlich einige Motive, die seinen Frauengestalten zugrundeliegen, aus den Romanen Steffens'entlehnt. Fritz Karsen, der dessen Romane analysiert hat, ist zu dem Ergebnis gekommen: "Frauengestalten bei Steffens! Sie ähneln sich alle in den Hauptzügen. Denn auch sie scheinen nur gedacht, und zwar als Verkörperungen weiblicher Treue. Das wird ganz offenbar, wo sie ihren Männern auch dann noch folgen, wenn sie sie als Verbrecher erkannt haben". F. Karsen: Henrik Steffens Romane. Ein Beitrag zur Geschichte des Historischen Romans. Hrsg. von M. Koch und G. Sarrazin. Leipzig 1908. S. 144. Auch Mariamne folgt Herodes noch, obwohl sie weiß, daß er der Mörder ihres Bruders ist.

ben, sondern vielmehr als gleichberechtigte Partner in der Liebe anerkannt werden wollen. Sie fordern vom Mann die geschlechtliche Rolle, wie sie z.B. Judith verlangt; sie fordern ein unbedingtes Vertrauen wie Mariamne; sie verlangen Respekt und Achtung vor dem privaten Eigenleben wie Rhodope; sie berufen sich, wie Genoveva, auf eine göttliche Wertordnung, in der die Liebe heilig ist; sie wollen selbst den Partner wählen wie Klara und betrachten als höchsten Wert des irdischen Daseins die Liebe, für die sich Agnes aufopfert.

Sind alle sich hier ergebenden Konflikte und Problemstellungen nur Ableitungen des existentiellen Konfliktes, verweisen sie aber immer wieder auf die Unzulänglichkeit und Fragwürdigkeit der menschlichen Existenz bzw. auf die Zwiespältigkeit der inneren Daseinsform des Individuums. Aus dieser essentiellen Problematik des Lebens, die den Dichter immer wieder innerlich aufgewühlt und beschäftigt hat, sind die einzelnen negativen Erfahrungen zu Trägern dramatischer Spannung geworden und als entscheidende Wesensbestimmungen in die Charaktere eingegangen: als Egoismus, als Vereinzelung, als Mißtrauen, als Gewissensqual, als Sinnlichkeit und als Schuld.

Der Dichter verweist auf diese inneren Themen seiner Tragödie: "Menschen-Natur und Menschen-Geschick: das sind die beiden Rätsel, die das Drama zu lösen sucht" (T 1034). Eine solche Anschauung verlangt nach einer sachgerechten Psychologisierung der dramatischen Stücke. Die Psychologie bleibt aber letztlich nur ein wesentliches Hilfsmittel, um das eigentlich Schöpferische wachzurufen. Aus diesem Grunde werden die historischen Gestalten nicht nur psychologisch ausgedeutet und dergestalt dramatisch motiviert, sondern sie stehen auch sub specie ideae. In einigen Fällen, wie z.B. in der "Judith" entziehen sich einige Komponenten der dramatischen Gestaltung der erfahrbaren Psychologie: die Idee des Übermenschen wird beispielsweise in Holofern Gestalt. Wenn einzelne Interpreten an diesen Charakteren kritisieren, sie seien nur konstruiert, so muß man ihnen den Vorwurf machen, daß sie das Zusammenspiel von symbolischer und psychologischer Gestaltung, auf das es Hebbel schließlich ankommt, außer acht gelassen haben.

1) "Genoveva" - Hebbels Gewissenstragödie

Die Gestalt des Golo ist von der Forschung vereinzelt als Archetypus des Gewissensmenschen gedeutet und Hebbel selbst gleichgestellt worden, zumal der Dramatiker bekannte, "das böse Gewissen des Menschen" habe "die Tragödie erfunden" (T 5611). Ein literaturwissenschaftliches Verfahren aber, das die Wurzeln der Genoveva-Tragödie so einseitig auf Hebbels "leidenschaftliche Liebe zu der schönen Emma Schröder" und auf die daraus resultierenden Schuldkomplexe gegenüber Elise Lensing zurückführt, wie einzelne Interpreten es getan haben, ist mit äußerster Vorsicht zu behandeln:

> Die Gestalt des Golo ist aus dieser Beicht- und Bußstimmung konzipiert, man darf sie als Schlüsselfigur zum Wesen des jungen Hebbel nehmen. Hier hält er über sich selbst Gericht. (1)

Denn die eigentliche Vorlage, die dem Dichter wesentliche Motive und auch vielleicht die Idee zu dieser Tragödie geliefert hat, ist der psychologische Roman "Woldemar", mit dem sich Hebbel über Monate hin beschäftigt hat (Vgl. T 530 - 534 und T 860).

Als sich Hebbel zum ersten Mal in stärkerem Maße[2] mit der Genoveva auseinandersetzt, sind seit der intensiven und oft wiederholten Lektüre des "Woldemar" etwa fünfzehn Monate vergangen. Zu Beginn des Jahres 1839 bezeichnet er dann die dramatische Bearbeitung der "Genoveva" Maler Müllers als zu "wässrig-sentimental". Diese Kritik fällt Hebbel um so leichter, als er schon "oft über diesen Stoff nachgedacht und (...) seinen dramatischen Ge-

---

1) A. Meetz: Friedrich Hebbel. a.a.O. S. 23. H. Matthiesen führt die dramatische Intention Hebbels, eine solche Tragödie niederzuschreiben, ebenfalls auf seinen psychischen Zustand zurück: "Die Qualen des liebestollen Golo erlebte er in Hamburg: seine Genoveva hieß Emma Schröder". H. Matthiesen: Hebbel-Monographie. a.a.O. S. 49.

2) Anni Meetz ist zu dem Ergebnis gekommen, daß sich Hebbel schon relativ früh mit dem Stoff der Genoveva befaßt hatte: "Schon in Wesselburen hatte Hebbel das Volksbuch der heiligen Genoveva, jener Herzogin von Brabant, die um 750 von ihrem Gemahl, Pfalzgraf Siegfried verstoßen und später als Heilige verehrt wurde, kennengelernt". A. Meetz: Friedrich Hebbel. a.a.O. S. 24.

halt nur im Charakter des Golo" entdeckt hat, denn erst wenn man diesen "hastigen Charakter aus menschlichen Beweggründen teuflisch handeln" läßt, "erzeugt er eine Tragödie" (T 1475).
In einem Notat vom Jahre 1836 schreibt Hebbel aus dem "Woldemar" diese so bedeutsame Redewendung heraus:

> Große und weise Männer hätten zu allen Zeiten behauptet, daß es Fälle gäbe, wo die heiligen Bildnisse der Gerechtigkeit und Milde auf einen Augenblick verhüllt werden müßten. Die Moral selbst unterwärfe sich alsdann einer vorübergehenden Hemmung ihrer Gesetze, damit ihre Prinzipien erhalten würden.
>
> Jacobi, Woldemar. (T 532)

Aus dieser Vorlage entwickelt er unter dem Einfluß des "Woldemar" und anderer philosophischer Schriften Jacobis jene dramatische Konzeption neuzeitlicher Verhältnisse, "die das eritis sicut deus als ihren leitenden Impuls und den Nihilismus als die unausweichliche Konsequenz ihrer Hybris ansieht"[1].
Die negativen Charaktereigenschaften Woldemars, "ein grober Egoist" und "ein geistiger Wollüstling"[2] zu sein, treffen auch auf den Charakter von Golo zu. Wie Woldemar "die natürliche Unschuld Allwins rücksichtslos aus(nützt), obwohl er die Gefahren sehen muß, die ihr Verhältnis zueinander bedrohen"[3], so bedroht auch Golo die Sittlichkeit Genovevas. Und beide gelangen schließlich in der"Praxis" ihrer "Einstellung bis zur Unsittlichkeit"[4].

Erscheint Golo zu Beginn des ersten Aktes noch als ein unbescholtener Diener seines Herrn, der seinerseits dem Diener blind vertraut: "Golo, dem Besten nur vertraut der Mann sein Bestes an, und der seid ihr"[5], zeigt er sich später in der Rolle

---

1) Friedrich Heinrich Jacobi: Philosoph und Literat der Goethezeit. Beiträge einer Tagung in Düsseldorf (16. - 19.10. 1969) aus Anlaß seines 150. Todestages und Berichte. Hrsg. von Klaus Hammacher. Frankfurt a.M. 1971. S. 36.
2) ebd. S. 181.
3) ebd. S. 182.
4) ebd. S. 179.
5) friedrich Hebbel: Werke. Hanser Ausgabe. a.a.O. S. 83.

des Verführers:

> Wohl ist das viel! Doch biete ich noch mehr:
> Aus meinem Arm entlassen will ich dich,
> Sobald ich dich umschlang. Das sei der Preis.
> Wenns Sünde ist, so ists die kleinste doch;
> Begehe denn die Kleinste, Weib,
> Damit du vor der größten mich bewahrst. (1)

Seine echte Zuneigung zu Genoveva verliert sich nach und nach in der "Dämonie" seiner Sinnlichkeit. Somit ist auch hier die Liebe als höchster Wert in Frage gestellt.

> Was ist Freundschaft, was ist Liebe, wenn auch die reinste, höchste Liebe vergiftend - wenn sie im Menschen ein böser Geist werden kann, der Vernunft und Tugend austreibt und sich an die Stelle setzt? (2)

Die Leidenschaft Golos scheint zu Beginn seines Werbens um die Zuneigung Genovevas noch menschlich zu sein, sie entzieht der Liebe aber allmählich die Wärme und setzt an ihre Stelle die Kälte. Die psychologische Motivierung des Golo-Charakters entspricht somit in ihren wesentlichen Ausdrucksformen ganz der des Woldemar. Auch die psychologische Ausgangsüberlegung hinsichtlich des sittlichen Falls Woldemars trifft auf Golo zu: "Wen sein eigenes Herz über Gutes und Böses nicht unmittelbar belehrt, den kann weder göttlicher noch menschlicher Unterricht helfen"[3].
Mag auch das gequälte Gewissen Hebbels dazu beigetragen haben, diese Tragödie ins Leben zu rufen, so gilt gerade hier, daß das persönlich Erlebte entpersonalisiert und thematisch anderweitig verstofflicht wurde. Als Bindeglied zwischen Hebbel und Golo steht allerdings ein Gewissen, das sich zu rechtfertigen versucht"[4].
Gewissen setzt immer eine höhere Instanz sittlicher Normierung voraus: es sind sittliche Erfahrungsinhalte einer religiösen

---

1) ebd. S. 131.
2) F.H. Jacobi: Woldemar. a.a.O. S. 361.
3) ebd. S. 101.
4) Schon Lichtenberg, dessen Schriften Hebbel 1837 las, hat zu dem menschlichen Bedürfnis des Entschulden-wollens geschrieben: "So sind oft unsere Schlüsse beschaffen, wir suchen Gründe in der Ferne, die oft in unsselbst ganz nahe liegen". G. Chr. Lichtenberg: Schriften. a.a.O. S. 24.

oder einer gesellschaftlichen Erziehung, die das Gewissen mit moralischen und sittlichen Prinzipien auffüllen.
Wenn Golo sich "schaudernd" fragt, "ist es nicht Gott selbst, der also zu mir spricht durch ihren Mund"[1], so besitzt er ein religiös genormtes Gewissen. Aber schon wie in der "Judith" gibt sich die Gottheit auch hier nicht zu erkennen. Während Judith aber ihre Sehnsucht mit mehr Innerlichkeit auf Gott richtet, muß man Golos Verhalten bei der Turmbesteigung als selbstsüchtige Herausforderung deuten. Ebenso wie Judith glaubt er schließlich, Gottes Wort vernommen zu haben. Der echte, innere Bezug zur Gottheit fehlt ihm, denn wenn er gegen Ende des fünften Aktes zu der Ansicht gelangt, "Gott allein hat recht"[2], so war Gott für ihn nur eine unbekannte Größe, die sich manipulieren läßt.
Seine Rechtfertigungsgründe münden in einer fatalistischen Philosophie vom Wirken des Gottes. Der für den Menschen notwendige Bezug zur Gottheit entzündet sich in den Tragödien Hebbels immer wieder an Grenzsituationen, in denen der Mensch eine höhere Rechtfertigung für sein Handeln braucht, um vor sich selbst bestehen zu können. Insofern wird Gott tatsächlich manipuliert.
Wittkowski deutet die Beziehung Golos zu Genoveva als "sinnlich-sexuelle Leidenschaft, nicht Liebe"[3], da Golo Wollust empfindet[4]. Wollust aber ist Sünde; deshalb muß der Verführer die christliche Sittlichkeit negieren und "alle Register ziehen", um sein Gewissen "zu betrügen"[5]. Zunächst versucht er Genoveva davon zu überzeugen, wie tief seine Liebe zu ihr ist, zweifelt aber schließlich selbst an ihrer Echtheit, indem er rätselt: "ha, weiß ichs selbst"[6]. Golo erkennt diese Schwäche: voll Leidenschaft sagt er

---

1) Friedrich Hebbel: Werke. Hanser Ausgabe. a.a.O. S. 105.
2) ebd. S. 197
3) Wolfgang Wittkowski: Hebbels "Genoveva". a.a.O. S. 191.
4) Hebbel geht hier von der gängigen psychologischen Anschauung der Romantik aus, wie sie z.B. bei Schubert zum Ausdruck kommt: "Die Wollust des Leibes hat nur selten, und in sehr geringem Maße das bei sich, was wir Gefühle der Seele nennen..." G.H. Schubert: Lehrbuch der Menschen- und Seelenkunde. a.a.O. S. 111.
5) W. Wittkowski: Hebbels "Genoveva". a.a.O. S. 194.
6) Friedrich Hebbel: Werke. Hanser Ausgabe. a.a.O. S. 129.

zu Genoveva: "umarmen will ich dich"[1], fügt aber noch ein schnelles "ich schwörs bei Gott!" an.
Golo verstrickt sich derart in seine Leidenschaftlichkeit, daß er immer wieder das Äußerste fordert, auch wenn er sich dadurch schuldig macht. Aber gerade darin liegt seine Absicht, denn "das Ich forciert die Sünde, nur um zu sehen, ob es auch Sünde ist"[2]. Die Strafe bleibt aus. Deshalb glaubt er schließlich: "Gott ist allmächtig. Er hilft (...) offenbar dem Bösen"[3]. Golo sieht aber sein subjektiv-moralisches Vergehen an Genoveva ein:

> Das Maß des Grauens, statt der Seligkeit,
> Hab ich geleert. Die höchste Reue schlägt
> Den Weg nicht ein, der sie zur Gnade führt...
> Doch, Trotz, ich schelt dich darum nicht! Du hast
> Mich mit mir selbst bekannt gemacht, ich weiß
> Jetzt wer ich bin, und was auch kommen mag:
> Gott tut mir recht, und Gott allein hat recht. (4)

Aber er entlastet sein Gewissen wieder, indem er die warnenden Regungen des Über-Ich bewußt verdrängt. Was bleibt, ist ein nachträgliches Aufstülpen rationaler Beweggründe, die das menschlich-sittliche Verhalten in Frage stellen.
Das Gewissen kann aber nie ganz ausgeschaltet werden, nur die Spannung zwischen den Polen gut und bös kann dadurch reduziert und aufgehoben werden, indem man das Böse zu einer Notwendigkeit und sich selbst zu ihrem Träger macht. In diese Rolle steigert er sich um seiner selbst willen hinein, damit er sich in seiner Leidenschaft zu Genoveva ungehemmt entfalten kann.
Sein ambivalentes Verhalten aber, das sich darin zeigt, daß er zwar dem Leben durchaus bejahend gegenübersteht, aber später Leben vernichtet, um selbst leben zu können, läßt ihn letztlich zum Opfer einer Sache werden. Das leidenschaftliche Ringem um die Sache, nämlich Befriedigung seiner sexuellen Wünsche und

---

1) ebd. S. 130.
2) Benno von Wiese: Die deutsche Tragödie von Lessing bis Hebbel. a.a.O. S. 585.
3) Wolfgang Wittkowski: Hebbels "Genoveva". a.a.O. S. 193.
4) Friedrich Hebbel: Werke. Hanser Ausgabe. a.a.O. S. 196.

und sein vergebliches Werben um Genoveva, treiben ihn einerseits bis hin zur Grausamkeit[1], indem er Genoveva nun vernichtet sehen will. Andererseits verliert er jegliche Bindung zu den höheren sittlichen Werten. Da der Mensch aber immer eine Bindung haben muß, um seinem Leben einen Sinn zu geben, so hält er sich an das Böse. Und um das Böse zu"bagatellisieren", gibt er vor, es sei "von Gott verursacht"[2].

Solange Genoveva lebt, bleibt sie das Ziel seiner Lust, die, weil sie Sünde ist, sein Gewissen plagt. Alles, was nach ihrem Tod geschieht, vor allem sein Ringen um die Gottheit, ist ein willkürlicher Akt, Gott für alles verantwortlich zu machen, was in der Welt geschieht, obwohl Gottes Willen für ihn unerforschbar bleibt.

Die "Genoveva" wurde zuweilen als "Tragödie des Nihilismus" bezeichnet. Das trifft das Wesen dieser Tragödie nur insofern, als man erkannt hat, daß der Nihilismus hier nur ein "Mittel" ist. Er ist nämlich Golo und - wenn man es so sehen will - auch Hebbel ein Mittel, ihre Leidenschaften, hier die Leidenschaft zu Genoveva, dort die leidenschaftliche Liebe zu Emma Schröder, voll auszukosten, indem sie alle höheren Werte in Frage stellen.

> Hier ist der Nihilismus ungefährlich, Wenn dieses vom Menschen als Substanz genommen wird, ist er unproblematisch und lebensfähig. Nun kann er alle skeptischen Gedankengänge, alle nihilistischen Entwicklungen als Mittel benutzen, um z.B. in sophistischer Weise seine Handlungen und Eigenschaften je nach Bedürfnis vor sich selbst oder vor anderen dadurch zu rechtfertigen, daß etwa entgegengesetzte Forderungen als höchst zweifelhaft und unbegründet sich darstellen.(3)

Zu Recht haben daher einige Interpreten darauf hingewiesen, daß das"Golo-Drama ein tragisches Charakterdrama" ist, in dem die Liebe Golos zur sündhaften Sinnlichkeit ausartet und in dem Golo

---

1) Dazu schreibt Novalis in seinen psychologischen Ansichten: "Sonderbar, daß der eigentliche Grund der Grausamkeit Wollust ist" (N 1229). Das leidenschaftliche Ringen Golos treibt ihn bis zum Sadismus: "Durchs Foltern wird sie immer schöner noch, vielleicht ist sie am schönsten, wenn sie stirbt" (S. 186).

2) Wolfgang Wittkowski: Hebbels "Genoveva". a,a.O. S. 203.

3) Karl Jaspers: Psychologie der Weltanschauungen. a.a.O. S. 295.

in Kenntnis seiner Lage, sein Handeln als "metaphysisches Experiment"[1] betrachtet. Da die Welt aber in sich gespalten ist und der Dualismus in der Gottheit selbst wurzelt, so erweist sich die Schuld Golos "als unvermeidlich" und der "Konflikt (...) als konstruierte Tragik, als eine Fiktion"[2], weil Hebbel hier darstellen will, daß "von allen Faktoren der Menschen-Natur nur das Gewissen als unzerstörte und (...) unzerstörbare Burg des Spiritualismus" (B 23.5.1857) übrigbleibt und auch dort noch die Schuld des Menschen aufdeckt, wo er es wie Golo mit sophistischer Dialektik aufzulösen versucht.

2) Der existentielle und gesellschaftliche Konflikt in "Maria Magdalene"

Hebbel schreibt in einem Brief vom Jahre 1843 an Auguste Stich-Crelinger: "Es (das Drama "Maria Magdalena") ist das Glied einer Kette von Tragödien, in welchem ich den Welt- und Menschen-Zustand in seinem Verhältnis zu der Natur und zum Sittengesetz, dem wahren, wie dem falschen, auszusprechen gedenke". Dieses bürgerliche Trauerspiel, das Hebbel als zweiten Teil der "Judith" konzipieren wollte, ist seine realistischste Tragödie.
Während in der "Judith" sich die Fragwürdigkeit aus dem Innern der Person stellte, und zwar als ein Problem metaphysischer Denkweise, verweist die Thematik dieser Tragödie in stärkerem Maße auf das "moralische Bewußtsein"[3] der Gesellschaft im Für- und Zueinander. Der existentielle Konflikt wird hier von Hebbel in einem engen Verhältnis zur Wirklichkeit gesehen.
Bleibt die dramatische Thematik immer dem Gegensatzpaar von Idealismus und Realismus verhaftet, bedient sich Hebbel in Hinblick auf die Sprache sowohl idealistischer als auch realistischer Auf-

---

1) Benno von Wiese: Die deutsche Tragödie von Lessing bis Hebbel. a.a.O. S. 581.
2) Wolfgang Wittkowski: Hebbels "Genoveva". a.a.O. S. 205.
3) Werner Keller: Nachwort. In: Friedrich Hebbel: Werke. Hanser Ausgabe. Bd. V, S. 971.

bauelemente:

> Realismus und Idealismus, wie vereinigen sie sich im Drama? Dadurch, daß man jenen steigert und diesen abschwächt. Ein Charakter z.B. handle und spreche nie über seine Welt hinaus, aber für das, was in seiner Welt möglich ist, finde er die reinste Form und den edelsten Ausdruck, selbst der Bauer. (T 5328)

Mit seiner idealisierenden Sprachtechnik, die in der ihr zugrundeliegenden Begrifflichkeit aber nur selten über den Sozialbereich des Handwerksstandes hinausgeht, zeigt sich zuweilen das mitfühlende Räsonnieren des Dichters. Wenn die Mutter Klaras auf ihre tradierte Rolle hinweist, die da heißt: Gottesfürchtigkeit und Häuslichkeit, dann beschreibt sie genau das von der bürgerlichen Gesellschaft geforderte und erwartete Verhalten:

> Ich bin mir eben nichts Böses bewußt, ich bin auf Gottes Wegen gegangen, ich habe im Hause geschafft, was ich konnte, ich habe dich und deinen Bruder in der Furcht des Herrn aufgezogen und den sauren Schweiß eures Vaters zusammengehalten... (1)

Der existentielle Konflikt, der sich zeitlich an einem wirklichkeitsfremden und -feindlichen Puritanismus entzündet und als solche Problematik von Karl erkannt und reflektiert wird, muß das Individuum in seiner Eigenheit radikal beschneiden. Der einzelne vermag sich nämlich nicht von den moralischen Dogmen und repressiven Verhaltensregeln zu trennen, ohne daran zugrunde zu gehen. Die Möglichkeit des Selbst, sich frei zu entfalten, scheitert zwangsläufig an der Enge der Welt. Karl, der in diesen Konflikt hineingestellt ist, bleibt schließlich nur der resignierende Kritiker an einer bürgerlich verlogenen Moral. Die Doppelbödigkeit der gesellschaftlichen Zwangsordnung zeigt der Dichter schon an geringfügigen Auseinandersetzungen im Hause Meister Antons auf:

---

1) Friedrich Hebbel: Werke. Hanser Ausgabe. a.a.O. S. 331.

Mutter. Ich habe kein Geld, als was zur Haushaltung gehört.
Karl. Gib nur immer davon her! Ich will nicht murren, wenn du die Eierkuchen vierzehn Tage lang etwas magerer bäckst. So hast dus schon oft gemacht! Ich weiß das wohl! Als für Klaras weißes Kleid gespart wurde, da kam Monate lang nichts Leckeres auf den Tisch. Ich drückte die Augen zu, aber ich wußte recht gut, daß ein neuer Kopfputz, oder ein anderes Fahnenstück auf dem Wege war. Laß mich denn auch einmal davon profitieren! (1)

An anderer Stelle weist Karl noch deutlicher auf derartige gesellschaftliche Zwänge hin, die in ihrer Widersprüchlichkeit und Elendigkeit zwar zuweilen erkannt, aber selten reflektiert werden. Karl möchte sich von diesen Verhältnissen distanzieren, aber auch bei ihm bleibt es nur beim Wollen.

Karl. Du! Sein Schoßkind! Was wächst dir für Unkraut im Kopf, daß du fragst! Seine Freude laß ich ihm, und von seinem ewigen Verdruß wird er befreit, wenn ich gehe, warum sollt ichs denn nicht tun? Wir passen ein für allemal nicht zusammen, er kanns nicht eng genug um sich haben, er mögte seine Faust zumchen und hineinkriechen, ich mögte meine Haut abstreifen, wie den Kleinkinderrock, wenns nur ginge! (2)

Klaus Geißler, der sich mit einer soziologischen Analyse des Hebbelschen Werkes beschäftigt hat, betont, daß sich der Dramatiker nicht nur um Erhellung negativer Zeiterscheinungen bemüht, sondern auch "das Spezifische der deutschen Zustände" zu ergründen versucht habe: "diese sieht er gekennzeichnet durch eine verabscheuungswürdige Untertanenseligkeit..."[3]
Karl bewahrt immer eine kritische Distanz zum lebendigen Geschehen, doch drückt sich gegen Ende der Tragödie seine tief erlebte Resignation über diese Lebensverhältnisse aus: "Wär gern hineingesprungen, da draußen ist mein Reich"[4].

1) Friedrich Hebbel: Werke. Hanser Ausgabe. a.a.O. S. 332.
2) ebd. S. 377
3) Klaus Geißler: Hebbels Stellung zu den politischen und sozialen Problemen seiner Zeit. In: Friedrich Hebbel. Der einsame Weg. Hrsg. von Klaus Geißler. S. 504 - 516. Hier: S. 504.
4) Friedrich Hebbel: Werke. Hanser Ausgabe. a.a.O. S. 379.

Ein Sprachrohr seiner übergreifenden Kritik an der Gesellschaft hat der Dichter mit Karl geschaffen, dem Antagonisten seines Vaters, jenes traditionsbewußten Alten, der die autonome Freiheit des Einzelnen so negiert, wie er es an seinen Kindern vorexerziert.

Der existentielle Grundkonflikt wird von Karl rational erfaßt, indem er sich der Tragik des Lebens bewußt wird. Meister Anton dagegen fehlt diese Beweglichkeit im Denken, was der Dramatiker durch ein sich von Generation zu Generation überliefertes Konventionsbewußtsein motiviert.

> Meister Anton. Mein Vater arbeitete sich, weil er sich Tag und Nacht keine Ruhe gönnte, schon in seinem dreissigsten Jahre zu Tode, meine arme Mutter ernährte mich mit Spinnen, so gut es ging, ich wuchs auf, ohne etwas zu lernen, ich hätte mir, als ich größer wurde, und noch immer nichts verdienen konnte, wenigstens gern das Essen abgewöhnt, aber wenn ich mich auch des Mittags zuweilen krank stellte und den Teller zurückschob, was sollte es bedeuten? am Abend zwang mich der Magen, mich wieder für gesund zu erklären. (1)

Diese Erfahrungen dienen Meister Anton als Rechtfertigung, seine Kinder ebenso zu behandeln; unwissend und von einem moralischen Bewußtsein verblendet, richtet er dadurch seine Kinder psychisch wie physisch zugrunde.

Die totale Fixierung Meister Antons auf ein überspitzt verstandenes und gelebtes moralisches Bewußtsein macht ihn zu einer tragischen Figur; May kommt zu der Auffassung, das Tragische entspringe hier aus der "Gebundenheit". Insofern unterscheidet sich diese Tragödie von der "Judith" und der "Genoveva", als der existentielle Grundkonflikt an der gesellschaftlichen Enge des Bürgertums aufgezeigt wird. Den Gegensatz dazu bildet in den vorangegangenen Tragödien "das Urerlebnis Hebbels von der Nothaftigkeit des menschlichen Daseins", das Ziegler "in metaphysischer Überhöhung und Verallgemeinerung dargestellt"[2] sieht.

---

1) ebd. S. 345.
2) Klaus Ziegler: Mensch und Welt in der Tragödie Friedrich Hebbels. a.a.O. S. 106.

Diese Tragödie erwächst in viel stärkerem Maße der persönlichen Erlebniswelt Hebbels als die "Genoveva". Hier verarbeitet der Dramatiker nicht nur Motive aus seinem Erleben im Hause des Tischlermeisters Anton Schwarz[1], sondern auch und gerade aus seiner eigenen Kindheit. Sowohl die Vaterfigur des Meister Anton als auch die seiner Frau ist Hebbels Eltern nachempfunden.

> Jeden Sonntag ging Claus Friedrich Hebbel in die Kirche, wohin ein religiöses Bedürfnis ihn führte. Seine berufliche Strebsamkeit mischte sich mit kurzsichtigem Eigensinn. Er war erfüllt von dem Wunsch, das Gespenst der Armut und Schande von sich und seiner Familie fernzuhalten, und seine Verbitterung darüber, daß ihm das nicht gelingen wollte, machte ihn zu einem verschlossenen, harten, empfindlichen Mann... Die Mutter verstand es, die Wogen des häuslichen Streits zu glätten, und sie brachte immer wieder das Kunststück fertig, die Familie mit dem bescheidenen Verdienst ihres Mannes zu ernähren. (2)

Hebbel selbst versetzt sich in die dramatische Figur Karls und klagt sowohl "die sich von Szene zu Szene mehr zur Selbstgerechtigkeit" entwickelnde "Rechtschaffenheit"[3] seines Vaters als auch den damals üblichen Ehrenkodex der bürgerlichen Gesellschaft an, der erst dieses Elend hervorbringen konnte. Diese Welt, die von Gott verlassen ist und in der es kein Mitleid gibt, muß zwangsläufig auf Grund einer falsch gelebten Moral zur Vereinzelung und in die Trostlosigkeit führen.

---

1) Anni Meetz führt die Erlebniswelt dieser Tragödie in stärkerem Maße auf die persönlich erlebten Vorgänge im Hause des Tischlermeisters Anton Schwarz zurück: " Im Hause des braven Tischlermeisters Schwarz, der mit Vornamen sogar Anton hieß, hatte Hebbel erlebt, wie das ganze ehrbare Bürgerhaus sich verfinsterte, als die Gendarmen den leichtsinnigen Sohn abführten, und es erschütterte ihn tief, als er die Tochter, die ihn bediente, ordentlich wieder aufatmen sah, wie ich im alten Ton mit ihr scherzte und Possen trieb". Anni Meetz: Friedrich Hebbel. a.a.O. S. 36. Meetz geht hier von einem Brief aus, den Hebbel am 25.2.1863 an Siegmund Engländer schrieb, Der Verfasser ist hier der Ansicht, daß sich die Idee zu diesem bürgerlichen Trauerspiel zwar an den Vorgängen im Haus des Tischlermeisters A. Schwarz entzündete, aber daß die dramatischen Figuren des Meister Antons und seiner Frau sowie die düstere Beklommenheit des Hauses nach seinem eigenen Erleben in der Kindheit nachempfunden und motiviert sind.

2) Hayo Matthiesen: Hebbel-Monographie. a.a.O. S. 14.

3) Werner Keller: Nachwort. a.a.O. S. 970.

IV) Der Umbruch in seinem dramatischen Schaffen

Die psychologischen Ursachen der Wende, die sich von der ersten zur zweiten Epoche seines dramatischen Schaffens darin vollzieht, daß jetzt "eine Versöhnung in Gott, in der Idee, im Sein..."[1] stattfindet, basieren primär auf äußeren Umständen, die sein Leben radikal verändern: auf seinem sozialen Aufstieg, der sich seit dem Erfolg der "Judith" einstellte, auf seiner glücklichen Ehe mit der Wiener Schauspielerin Christine Enghaus und vielleicht auch auf einem gewissen Entgegenkommen gegenüber seinen Kritikern und seinem Theaterpublikum.
Während Hebbel in der ersten Epoche Tragödien schuf, die die doppelte Gespaltenheit von Welt und Individuum und des Menschen selbst in ihrer ganzen Schärfe und Unversöhnlichkeit demonstrierten, so überwiegt nun in der zweiten Epoche "in wachsendem Maße eine stärkere Betonung der überpersönlichen Mächte und der Notwenigkeit des Universums"[2].
Diese Wende des Tragischen hängt allerdings noch von einem weiteren Faktum ab, das von der Forschung bisher nur am Rande aufgegriffen wurde. Haben wir die zweite Entwicklungsphase so verstanden, daß sich in ihr das Bemühen des Dichters um Fundierung seiner Psychologie des Tragischen in entscheidendem Maße vollzieht, so ist das Bildungsproblem spätestens seit dem Jahre 1841 gelöst. Als Hebbel nämlich in diesem Jahr sein "Wort über das Drama" verfaßt, "in dem er theoretisch die Summe seiner Ansichten über das Drama zog"[3] und die zum Teil widersprüchlichen Weltanschauungen vieler Autoren in sich aufgesogen und zu einem durchaus eigenständigen, wenn auch in sich schwer verständlichem Welt-

---

1) Werner Keller: Nachwort. a.a.O. S. 978.
2) Benno von Wiese: Die deutsche Tragödie von Lessing bis Hebbel. a.a.O. S. 602.
3) Anni Meetz: Friedrich Hebbel. a.a.O. S. 30.

bild verarbeitet hatte, war sein Bildungsweg im Grunde abgeschlossen. Die meisterhafte Psychologisierungstechnik der Tragödie "Herodes und Mariamne" wäre nicht denkbar gewesen, wenn seine Psychologie des Tragischen nicht schon restlos entwickelt gewesen wäre. Daß dieses Stadium mit dem Jahre 1847 längst erreicht war, zeigt sich auch gerade daran, daß er über das 1846 erschienene Werk von Carus "Psyche, zur Entwicklungsgeschichte der Seele" beruhigt urteilen konnte, es sei "ein höchst vortreffliches Werk, das sich an viele meiner Gedanken bequem anschließt und andere erweitert oder schärfer begrenzt" (T 4127).
Die Psychologie hat für Hebbel sowohl in Hinblick auf seine theoretischen Ansichten als auch für seine Praxis die bedeutendste Rolle gespielt, obgleich sie mitunter mit seiner Metaphysik und seinem stark ausgeprägten Skeptizismus nur schwerlich in Einklang zu bringen war.

> Hebbel entwickelte seine dramatische Algebra aus dem Geist der Psychologie, hält aber inmitten der unaufhaltsam fortschreitenden Relativierung von überzeitlich und allgemeingültig scheinenden Werten und überpersönlichen Bindungen an einem unbedingten Sinnbezug für seine dramatische Gestalten fest. Während alle Wahrheit in psychologische, soziologische und historische Bedingtheit umgewandelt wird, hängen sie unveräußerlichen Werten nach, die sie verwirklichen wollen. (1)

Während aber seine Theorie der Psychologie des Tragischen und die psychologischen Aufbauelemente des Dramas bereits mit dem Jahre 1841 fundiert sind, erscheint der Umbruch in der Praxis als Folge einer versöhnlicheren Haltung. Der soziale Aufstieg und sein inniges Verhältnis mit Christine Enghaus entziehen ihm jenes Gift, das er in der Kindheit auf Grund seiner elenden Lage aufgesogen und in den Tragödien von der "Judith" bis zur "Julia" ausgespieen hatte.
Vereinzelt ist von der Forschung auch darauf hingwiesen worden, "daß Hebbel nach 1848 seinen Frieden mit den bestehenden Verhältnissen und Institutionen"[2] der politischen Welt gefunden habe.

---

1) Werner Keller: Nachwort. a.a.O. S. 990.
2) ebd. S. 973.

Die Tragödien der zweiten Epoche, von "Herodes und Mariamne" bis hin zu den "Nibelungen", stehen unter dem Eindruck des Versöhnungsgedankens. Trotz aller Tendenzen der Forschung, die Versöhnung als "Fiktion"[1] wegzudiskutieren, muß gesagt sein, daß der Dichter ja keine Versöhnung um jeden Preis haben wollte. Die Versöhnung in der Idee oder in Gott schien ihm schließlich nur eine Möglichkeit einer transzendentalen Heilsmöglichkeit zu sein. So gesehen ist der Versöhnungsgedanke durchaus legitim.

Daß ihm seine ausgeprägte und meisterhafte Psychologisierungstechnik allerdings nicht immer dazu verhalf, einen historischen Stoff zu neuem Leben zu erwecken, zeigt sich an den "Nibelungen"; hier beachtete Hebbel "nicht immer den Rat seines Freundes F.T Vischer, der davor warnte, das naive Epos durch moderne psychologische Motivierung zu entstellen"[2].

In der Reihe dieser Tragödien von "Herodes und Mariamne" bis zu den "Nibelungen" hat der Dichter aber auch ein Drama geschaffen, nämlich "Agnes Bernauer", das sich der Thematik des existentiellen Grundkonflikts, wie er in allen anderen Tragödien zum Ausdruck kommt, ganz entzieht.

---

1) Werner Keller: Nachwort. a.a.O. S. 978.
2) Eda Sagarra: Tradition und Revolution. a.a.O. S. 221.

1) Die Psychologisierungstechnik in "Herodes und Mariamne"

Wohl in keinem anderen Drama Hebbels gelangt die psychologische Motivierung des tragischen Geschehens zu solch einer Meisterschaft wie in "Herodes und Mariamne".

> In Hebbels Meisterwerk, der Liebstragödie Herodes und Mariamne, richten sich zwei königliche Menschen einander zugrunde. Aus der Differenz von übergroßer, aber selbstischer Liebe und unnachgiebigem sittlichen Anspruch entwickelt sich das tragische Verkennen, das Wesen und Schein nicht mehr zu trennen vermag, weil verwirrendes Mißtrauen am Werk ist. (1)

Das Mißtrauen[2], das als mehrfacher Spannungsbogen Basis des kommenden Konfliktes ist, ist in dieser Tragödie latent vorhanden und beeinflußt das psychische Erleben des Herodes in steigendem Maße. Mißtrauen ist darüber hinaus eine fundamentale Erscheinung in allen Tragödien des Dichters, wo es in seiner spezifischen Auswirkung auf das gesellschaftliche Zusammenleben der Individuen zur Vereinzelung führt. Somit erwächst es einmal aus dem Zusammenspiel aller innerdramatischen Gesellschaftsverhältnisse, das andere Mal aus der Seinsweise individueller Problematik.
Doch in keiner anderen Tragödie Hebbels kommt dieses psychologische Phänomen so klar zum Ausdruck wie eben in "Herodes und Mariamne". Dabei erweisen sich drei Schichten des Mißtrauens, die wohl überlegt aufeinander aufgebaut sind, als handlungsbeeinflussend: die politische Konstellation, die "vergiftete Atmosphäre"[3] im Königshaus und die Intrigen Alexandras.

---

1) Werner Keller: Nachwort. a.a.O. S. 975.

2) Das Mißtrauen ist eine den Charakter Hebbels selbst kennzeichnende Eigenschaft. Dazu mögen verschiedene Ursachen beigetragen haben, unter anderem sein schlechtes Verhältnis zum Vater, der seinen Sohn "haßte". Aber auch Hebbel selbst ist an dieser Entwicklung nicht ganz unschuldig, denn "obwohl er einsam war, stieß er doch alle Menschen zurück". Hayo Matthiesen: Hebbel-Monographie. a.a.O. S. 52.

3) Lawrence Ryan: Hebbels "Herodes und Mariamne": Tragödie und Geschichte. In: Hebbel in neuer Sicht. Hrsg. von Helmut Kreuzer. S. 247 - 266. Hier: S. 259.

In diesem Drama schafft die labile politische Konstellation in zunehmendem Maße eine "vergiftete Atmosphäre" und verwandelt das zunächst noch selbstsichere Verhalten des Herodes in Mißtrauen[1]. Seine private Sphäre, d.i. seine Lebensgemeinschaft mit Mariamne, scheint von dieser Entwicklung zunächst völlig unberührt zu sein.
Die allmähliche Konfliktzuspitzung, die einerseits durch seine Abhängigkeit von Marc Anton, bei dem er "verklagt (ist) auf Tod und Leben"[2], andererseits durch den ungewissen Ausgang des Machtkampfes zwischen Marc Anton und Octavian, den Herodes als "einen hitzgern Kampf, wie jemals"[3] bezeichnet, herbeigeführt wird, bestärkt das Mißtrauen des Despoten.
Dieses Mißtrauen, das ihn innerlich erregt und das er auf seine Umwelt projiziert, richtet sich auch allmählich auf seine Gattin, die ihm trotz politischer und familiärer Isolation zunächst als Vertraute erhalten bleibt.
Ständig lebt er unter dem seelischen Druck, von Rom fallen gelassen zu werden, und befindet sich daher in einer permanenten psychischen Stress-Situation. In diesem Zusammenhang sollte man einmal erwähnen, wie oft Herodes, neben Mariamne zentrale Figur dieser Tragödie, im szenischen Geschehen in Erscheinung tritt.
Gleich zu Beginn des ersten Aktes erhält er den Befehl abzureisen, um sich an dem Machtkampf zwischen Marc Anton und Octavian zu beteiligen. Im vierten Akt betritt er den Schauplatz erst wieder in der letzten Szene.
Seine Selbstsicherheit scheint trotz der labilen politischen Lage zunächst noch unangetastet zu sein, doch sein Ausspruch: "Was sichert mir, daß man mir noch gehorcht?"[4], widerlegt seine äußere

---

1) Auch Ziegler vertritt die Auffassung, "daß (...) die Ausgangssituation des Herodes unter dem Druck der durch und durch fremden und feindlichen äußeren Welt durch und durch eine Situation der Not ist..." Klaus Ziegler: Mensch und Welt in der Tragödie Friedrich Hebbels. a.a.O. S. 57.
2) Friedrich Hebbel: Werke. Hanser Ausgabe. a.a.O. S. 493.
3) ebd. S. 549.
4) ebd. S. 503.

Ruhe. Herodes ist zu einem Spielball der herrschenden Mächte geworden; er ist und bleibt von der Gunst und Willkür der römischen Imperatoren abhängig. Ryan bemerkt dazu richtig, daß "Herodes sonst im politischen Bereich anderen nicht mehr als ein Ding ist ..."[1] Diese Objektsetzung dringt in sein Unterbewußtsein und verändert sein Verhalten soweit, daß er sogar seinen engsten Vertrauten gegenüber mißtrauisch wird.

Aber auch die "vergiftete Atmosphäre" im Königshaus wirkt sich nachhaltig auf sein psychisches Erleben aus. An dem Hofe des Königs ist es zunächst Sameas, ein fanatischer Pharisäer und der Vertraute Alexandras, der Unruhe stiftet. Ebenso stärken die Verhaltensweisen des Soemus und später Josephs sein Mißtrauen. Herodes sieht sich von Anfang an mit Mißgunst, Neid, aber auch Augenblicken des Mißverständnisses konfrontiert, so daß er erregt ausruft: "Ja, ja, so stehts! Verrat im eignen Haus, offner Trotz im Pharisäerpöbel..."[2]

Obwohl er diese Zustände erkennt, spricht sich eine deutliche Resignation in ihm aus, was schließlich dazu führt, daß er niemandem mehr vertraut. Doch hat er selbst erheblichen Anteil an der "vergifteten Atmosphäre" durch den Mord an Aristobolus. Seine Schwiegermutter Alexandra bezeichnet ihn deshalb auch als "blutmörderischen Gemahl"[3]. Herodes hat zwar durch diesen Mord einen entscheidenden Gegner beseitigt, bleibt aber darüber im Ungewissen, ob nicht auch Mariamne an ihm zu zweifeln beginnt. Die Königin jedoch glaubt ihrerseits, ein Motiv für sein plötzlich erwachtes Mißtrauen gefunden zu haben.

> Nun fang ich an! Kannst du nicht mehr vertraun,
> Seit du den Bruder mir - Dann wehe mir
> Und wehe dir! (4)

Die feindliche Atmosphäre zwingt die Angehörigen des Palastes,

---

1) Lawrence Ryan: Hebbels "Herodes und Mariamne": Tragödie und Geschichte. a.a.O. S. 255.

2) Friedrich Hebbel: Werke. Hanser Ausgabe. a.a.O. S. 490.

3) ebd. S. 516.

4) ebd. S. 501.

sich voneinander abzusondern, denn "auch die engeren persönlichen Verwandtschaften des Herodes sind von Intrigen durchsetzt, die den einzelnen Menschen fast völlig isolieren und das Vertrauen zu anderen unmöglich zu machen scheinen..."[1]
Fädenzieherin von Gegenspiel und Intrige ist Alexandra, von Herodes als "böses Weib"[2] bezeichnet. Ihr Haß und ihre Rachegedanken führen zwar zu keinem sichtbaren Erfolg, vor allem weil es ihr nicht gelingt, Mariamne und Herodes zu trennen, doch hat sie den größten Anteil an der vergifteten Atmosphäre.
Ihr maßloser Haß gilt in erster Linie dem "Emporkömmling"[3] und nur in geringerem Maße dem Mörder ihres Sohnes, denn sie fürchtet nichts mehr als daß nach der Vernichtung der Makkabäer die "Herodianer"[4] an die Macht kommen. Ihre Rache scheint zwar durchaus gerechtfertigt, zumal Herodes ihren Sohn ermordet hat, doch wird aus dem Gespräch zwischen dem König und seiner Frau in I/3 deutlich, weshalb er ihn beseitigen mußte.

> Wenn solch ein Bruder selbst aufs Töten sinnt,
> Und man nur dadurch, daß man ihm begegnet,
> Ja, ihm zuvorkommt, sich erhalten kann!
> Wir sprechen hier vom Möglichen! Und weiter! (5)

Herodes stellt den Mord als eine für ihn notwendige Präventiventscheidung hin. Alexandra jedoch hält ihre Rachegedanken- und absichten weiterhin aufrecht, vor allem deshalb, weil sie fürchten muß, ein Opfer ihrer eigenen Intrigen zu werden. In Sameas glaubt sie den Mann gefunden zu haben, der ihre Rachepläne verwirklichen könnte, und erteilt ihm deshalb den Befehl: "Mach du den Todesengel!"[6]
Eine latent vorhandene krisenhafte Lage, die auf den Sturz des Königs zielgerichtete Rache Alexandras und die durch den religiös-

---

1) Lawrence Ryan: Hebbels "Herodes und Mariamne": Tragödie und Geschichte. a.a.O. S. 254.
2) Friedrich Hebbel: Werke. Hanser Ausgabe. a.a.O. S. 494.
3) Benno von Wiese: Die deutsche Tragödie von Lessing bis Hebbel. a.a.O. S. 606.
4) Friedrich Hebbel: Werke. Hanser Ausgabe. a.a.O. S. 525.
5) ebd. S. 498.
6) ebd. S. 511.

fanatischen Pharisäer Sameas herbeigeführte Unruhe im Volk sind natürlich die denkbar ungünstigste Basis für ein Liebesverhältnis. Das trifft primär auf Herodes zu, der sich dieser Situation im Laufe der Zeit immer stärker ausgesetzt sieht und ihr nicht mehr psychisch gewachsen zu sein scheint.

> An Hand des Handlungsverlaufes läßt sich verfolgen, wie sich jene immer mehr vergiftete Atmosphäre des Mißtrauens entwickelt, gegen welche die Ursprünglichkeit der Liebe nicht mehr aufkommt. Es kommt zu einer Kette von immer verhängnisvoller werdenden Mißverständnissen. (1)

Aus dem Mißtrauen des Herodes erwächst schließlich seine krankhafte Eifersucht, die ihn zu der folgenschweren Tat treibt, Mariamne unter das Schwert zu stellen. Die Vertrauensbasis ist nun endgültig zerstört, und was übrig bleibt, ist Zweifel[2], totale Vereinzelung und schließlich Rache.
Das Verhalten des Despoten erweist sich immer wieder als ambivalent. Realistische Einschätzung der politischen Lage und tragische Blindheit in seinem Verhältnis zu Mariamne demonstrieren die extremen Schwankungen. Einerseits beseitigt Herodes seinen ärgsten Widersacher Aristobolus ohne Skrupel, andererseits zeigt er sich unerwartet gefühlvoll und sentimental, wenn er seiner Gattin offenbart:

> Als du vor einem Jahr
> Im Sterben lagst, da ging ich damit um,
> Mich selbst zu töten, daß ich deinen Tod
> Nur nicht erlebte...(3)

Der Selbstmordgedanke scheint jedoch ebenso übertrieben zu sein wie sein übriges Verhalten, denn er hält sich weitgehend an den Bericht der Selbstmörderin, den er kurz zuvor vernommen und der ihn tief bewegt hatte.

---

1) Lawrence Ryan: Hebbels "Herodes und Mariamne": Tragödie und Geschichte. a.a.O. S. 259.

2) Gemeint ist hier der Zweifel des Herodes an der Treue seiner Gattin, "denn die sicht- und greifbaren Dinge und Tatsachen (...) weisen auf eine Untreue Mariamnes als Ursache für den Verrat des Schwertbefehls hin". Klaus Ziegler: Mensch und Welt in der Tragödie Friedrich Hebbels. a.a.O. S. 67.

3) Friedrich Hebbel: Werke. Hanser Ausgabe. a.a.O. S. 499.

Die strukturbestimmende Triebfeder seiner Persönlichkeit ist ein unbändiges Machtstreben und maßloses Besitzenwollen: hierdurch erweist sich Herodes als extravertierter Typus. Kritik wird von ihm immer als persönlicher Angriff verstanden und stärkt sein Mißtrauen. Dagegen wird all das, was er sagt oder befiehlt, zum Dogma.

Sein Verhältnis zu Mariamne bleibt zu Beginn des ersten Aktes trotz des Brudermordes noch ungetrübt, wie aus der Vorgeschichte zu entnehmen ist:

> O nein, ich kenne meine Pflicht, und da du
> Seit meines muntren Bruders jähem Tod
> Mich jeden Tag so reich beschenkst, als würbest
> Du neu um mich, so komme ich auch endlich
> Und zeige Dir, daß ich erkenntlich bin! (1)

An anderer Stelle wird das ausgewogene Verhältnis zwischen den beiden noch deutlicher: "du kennst den Zauber, der mich an dich knüpft"[2], und durch das Bekenntnis Mariamnes: "ich zog es vor, dem Mann ein Weib zu sein"[3].

Bezeichnend für das Verhalten des Herodes ist aber, daß er seine Liebe durch Geschenke makaberer Art beweisen will, so daß Mariamne schon jetzt an seiner Liebe zu zweifeln beginnt:

> Zwar weiß ich nicht, wie du
> Es mit mir meinst. Du schickst für mich den Taucher
> Hinunter in das dunkle Meer, und wenn
> Sich keiner findet, der um blanken Lohn
> Des Leviathans Ruhe stören will,
> So tust du deine Kerker auf und gibst
> Dem Räuber den verwirkten Kopf zurück,
> Damit er dir die Perlen fischt für mich. (4)

In dieser Szene wird Herodes als der gewissenlose Machtmensch dargestellt, der, wenn es in seinem Interesse liegt, im wahrsten Sinne des Wortes über Leichen zu gehen vermag: "Man soll mit allem wuchern, denke ich, warum nicht mit verfallnem Menschenleben"[5].

1) ebd. S. 495.
2) ebd. S. 499.
3) ebd. S. 518.
4) ebd. S. 495.
5) ebd. S. 496.

Was Herodes auch unternimmt, immer hat er seine Frau im Auge; sie wird für ihn im Laufe der Handlung zum Richtstein seines Handelns: ob er Sameas einsperren, ob er Joseph ermorden läßt oder ob er den Taucher ins Meer hinabschickt. Seine Liebe ist, wie er selbst sagt, ein "Übermaß an Liebe"[1]. Schon Novalis hat geschrieben, daß das "Bedürfnis nach Liebe (...) schon eine vorhandene Entzweiung in uns" verrät, denn "Bedürfnis verrät immer Schwäche" (N 2006). Diese Worte treffen hier tatsächlich den Kern der Sache, weil der König, der sich ja in eine ringsum vergiftete Atmosphäre gestellt sieht, um so stärker der Liebe seiner Frau bedarf.

Diese Situation vermag Mariamne nicht zu erkennen und bezeichnet sein Verhalten als "blöde Eifersucht"[2]. Eifersucht ist aber immer nur dann vorhanden, wenn der Partner nicht als eigenständige Persönlichkeit anerkannt, sondern als ein, zwar leidenschaftlich geliebtes, doch gleichsam fest in den eigenen Besitz genommenes Objekt behandelt wird. Das ist keine Liebe, sondern eher narzistische Libido.

> Das Handeln des Herodes geht also über den Geschlechtergegensatz hinaus, zumal es nicht nur gegen Marimne, sondern auch gegen Soemus aus ähnlichen Antrieben entspringt, aus dem uneingeschränkten Trieb nach Besitz, dem natürlichen Egozentrismus, der ein einmaliges Ich zu einem beliebigen Es, eine Person zum Ding herabwürdigt. (3)

Mariamne fühlt sich im Innern tief verletzt; ihre Liebe zu Herodes scheint jedoch noch so stark gefestigt zu sein, daß ihr nach dem ersten Schwertbefehl noch ein zweiter Versuch recht ist, das Verhalten ihres Mannes auf die Probe zu stellen: "Er zieht noch einmal fort! Dank, Ewger, Dank!"[4]

---

1) ebd. S. 500.

2) ebd. S. 530. Platner hat darauf hingewiesen, daß die Eifersucht aus dem verletzten Stolz erwächst: "Alle Eifersucht der Liebe, ist die Empfindniß des Stolzes". Philosophische Aphorismen. a.a.O. S. 374. Und Herodes ist gerade deshalb in seinem Stolz verletzt, weil Mariamne ihm nicht ihre Liebe offenbart.

3) Benno von Wiese: Die deutsche Tragödie von Lessing bis Hebbel. a.a.O. S. 606.

4) Friedrich Hebbel: Werke. Hanser Ausgabe. a.a.O. S. 543.

Im Gegensatz zu Herodes, der sich an der äußeren Erscheinungswelt orientiert und mehr flüchtigen Sinneseindrücken unterliegt, erscheint Mariamne introvertiert, denn "sie hat die Undurchdringlichkeit und den Stolz der Makkabäerin"[1]. Obwohl ihre Liebe zu Herodes gelegentlich auch leidenschaftlich anmutet, erscheint sie doch gefestigter und äußeren Einflüssen gegenüber widerstandsfähiger als die ihres Mannes, eben nicht so affektgeladen. Nicht einmal ihrer Mutter Alexandra gelingt es, sie für ihre Rachepläne zu gewinnen, denn sie zieht es vor, "dem Mann ein Weib zu sein"[2].

Erst die ungeheuere Entscheidung ihres Gatten, sie unter das Schwert zu stellen, zerstört ihre enge Bindung an ihn. Mariamne wird sich plötzlich ihrer selbst bewußt:

> So war das mehr,
> Als eine tolle Blase des Gehirns,
> Wie sie zuweilen aufsteigt und zerplatzt,
> So wars - Von jetzt erst fängt mein Leben an,
> Bis heute träumt ich! (3)

Aber noch immer hofft sie, daß sein Verhalten "bloß ein Fieber war, das Fieber der gereizten Leidenschaft"[4]. Wenn Mariamne schon immer eine sichtbare Leidenschaft in der Liebe fehlte, so zieht sie sich nach diesem schweren Vertrauensbruch ganz in sich zurück und verstummt nach außen. Obwohl Herodes sie immer wieder auffordert, sie solle ihm ihre Liebe offenbaren, schweigt sie. Herodes mißdeutet ihr Schweigen und zieht die Konsequenz dahingehend, daß er sie erneut unter das Schwert stellen läßt.
Man kann sich fragen, ob sich Mariamne ihrem Mann hätte offenbaren müssen, aber Benno von Wiese bemerkt zu Recht, "daß sie als die Unbegreifliche, ja als die Täuschende erscheint, an der notwendig jeder irre werden muß, dem der Durchbruch zu diesem unsichtbaren Wesenskern nicht mehr gelingt"[5].

---

1) Benno von Wiese: Die deutsche Tragödie von Lessing bis Hebbel. a.a.O. S. 609.
2) Friedrich Hebbel: Werke. Hanser Ausgabe. a.a.O. S. 518.
3) ebd. S. 529.
4) ebd. S. 544.
5) Benno von Wiese: Die deutsche Tragödie von Lessing bis Hebbel. a.a.O. S. 610.

Gerade in Hinblick auf die innere Motivierung der weiblichen Figur zeigt sich hier, wie nachhaltig Hebbel durch die Psychologie der Romantik beeinflußt wurde, vor allem aber durch Carus, dessen Werk, "Psyche, zur Entwicklungsgeschichte der Seele", er zu derselben Zeit las, als er diese Tragödie konzipierte.

> Nicht ohne Ursache haben schon von jeher Dichter und Psychologen die Seele des Weibes ein schwer zu entzifferndes Geheimnis genannt. Eben weil die Zeichnung seiner Eigenthümlichkeiten weicher, seine Originalität verborgener, sein ganzes Leben innerlicher ist, spiegelt es sich weniger scharf in dem Äußeren, ja schon dadurch, daß das Gemüt, in seinen dunkeln nebulösen Zuständen, das recht eigentliche Reich und Lebensprinzip hier ausmacht, muß das Dasein zurückgezogener bleiben, als in einem Falle, wo, wie in dem Manne, Leben und Tun mehr im Erkennen und Vollbringen sich bewegt. (1)

Benno von Wiese schreibt zu Recht, daß die Liebe Mariamnes "vom Irdischen gleichsam losgelöst"[2] ist. Vermutlich hat Carus den Dichter auch auf den Merkmalsunterschied zwischen männlichen und weiblichen Charakteren hingewiesen, "daß das Weib eben vermöge eines gewissen Vorwaltens unbewußten Lebens auch fester und unmittelbarer an jenem Göttlichen haften bleibt, welches wir, eben weil es durch das Erkennen nie ganz ermessen werden kann, als ein Mysterium, und als den Urgrund und die höchste Bedingung alles Seienden verehren sollen..."[3]

Solche Anschauungen, die vor allem durch Steffens und Carus in dieser Form vertreten wurden, sind Hebbel auch schon durch die Lektüre Feuerbachs bekannt geworden. Das führt uns zu der Annahme, daß viele psychologische Erkenntnisse, die Hebbel schon in der ersten Phase durch Schubert und Feuerbach gewonnen und übernommen hatte, durch Carus erneut aufgefrischt wurden, was ja durch den Dichter selbst in T 4127 bestätigt wird.

Als der Dichter nach dem ersten Schwertbefehl Mariamne empört

---

1) C.G. Carus: Symbolik der menschlichen Gestalt. a.a.O. S. 501.

2) Benno von Wiese: Die deutsche Tragödie von Lessing bis Hebbel. a.a.O. S. 609.

3) C.G. Carus: Psyche. Zur Entwicklungsgeschichte der Seele. a.a.O. S. 283.

ausrufen läßt: "Du hast in mir die Menschheit geschändet"[1], steht er noch ganz unter dem Einfluß Feuerbachs: "In der That ist auch die Frauenliebe die Basis der allgemeinen Liebe. Wer das Weib nicht liebt, liebt den Menschen nicht"[2]. Eben weil in Mariamne die Menschheit geschändet wurde, will sie nicht mehr weiterleben. Aber obwohl der Lebenswille in ihr schon längst erloschen scheint, bäumt sie sich noch einmal voller Trotz gegen Herodes auf, um sich an ihm für die erlittene Schmach zu rächen. Sie überschreitet nun ihrerseits die Grenzen ihrer Menschheit, indem sie den unwissenden Gemahl mit Absicht dazu verleitet, sie zu töten, damit er vollends an ihr schuldig werde. Dieser Akt der Selbstbehauptung führt sie schließlich in die von ihr selbst angestrebte Vernichtung.

> Eeine Larve stand
> Heut vor Gericht, für eine Larve wird
> Das Beil geschliffen, doch trifft es mich selbst!
> (...)
>
> Sterben kann
> Ein Mensch den anderen lassen; fortzuleben,
> Zwingt auch der Mächtigste den Schwächsten nicht.
> Und ich bin müde, ich beneide schon
> Den Stein, und wenns der Zweck des Lebens ist,
> Daß man es hassen und den ewgen Tod
> Ihm vorziehn lernen soll, so wurde er
> In mir erreicht. (3)

Das ist die Tragik der Geschlechter: sie suchen Liebe und lieben nur sich selbst; einer vernichtet den anderen, jeweils unwissend, warum der andere gerade so gehandelt hat. Herodes wird durch Mariamne psychisch zugrunde gerichtet, Mariamne aber physisch, weil sie die Unsittlichkeit der Schändung und damit das Kranke in sich trägt.

---

1) Friedrich Hebbel: Werke. Hanser Ausgabe. a.a.O. S. 540.
2) Ludwig Feuerbach: Das Wesen des Christentums. a.a.O. S. 89.
3) Friedrich Hebbel: Werke. Hanser Ausgabe. a.a.O. S. 585.

2) Egozentrizität und Vereinzelung in "Gyges und sein Ring"

Auf die Liebestragödie "Herodes und Mariamne" läßt Hebbel im Jahre 1851 das politische Staatsdrama "Agnes Bernauer" folgen; das Gyges-Drama schließt sich dagegen in der Thematik der Geschlechtertragik so eng an "Herodes und Mariamne" an, daß es vorteilhafter erscheint, diese Tragödie vorzuziehen.
In keinem anderen Drama Hebbels wird das Problem der Vereinzelung so deutlich wie im "Gyges". Die Musterhaftigkeit der psychologischen Motivierung erweist sich am Beispiel einer extrem abgegrenzten Erlebensweise zweier Menschen, die aus grundverschiedenen Lebensbereichen entstammen. Helmut Kreuzer ist dem antithetischen Aufbau dieser Tragödie bis ins Detail gefolgt:

> Hebbel leitet den Weg zur Katastrophe aus einer verhängnisträchtigen Konstellation antithetisch konzipierter Charaktere her, die nicht nur als Individuen einander gegenüberstehen, sondern in der typisierenden Gestaltung Hebbels als Verkörperung komplementärer Grundformen des Menschlichen. Die Kontrapunktik der Charaktere - als Voraussetzung der Tragödie - zeigt sich deutlich am Verhältnis zur Zeit. (1)

Zwei Individuen, jeweils von einer anderen moralischen Lebensauffassung und Erziehung geprägt, stehen sich, gerade was ihre Anschauungen von der Sittlichkeit des Menschen betrifft, konträr gegenüber.
Anni Meetz weist darauf hin, daß Hebbel den Gygesstoff bereits im Jahre 1848 gekannt hat:

> Hebbel nahm aus Herodot die Fabel, die Ringgeschichte von Plato, ließ aber Gyges und Rhodope aus fernen, feiner entwickelten Kulturen herkommen, wofür ihm sein Studium der Indischen Sagen von Holtzmann Züge geliefert hatte. (1848 hatte Hebbel dies Werk rezensiert in den Wiener Jhb. der Liter. hrsg. von K. Gerold, Bd 123; Hist.-krit. Ausg: W.XI).[2]

Hebbel wird aber bei seiner Rezension "der von Holtzmann über-

---

1) Helmut Kreuzer: Hebbels "Gyges und sein Ring". In: Hebbel in neuer Sicht. Hrsg. von H. Kreuzer. S. 294 - 314. Hier: S. 295.
2) Anni Meetz: Friedrich Hebbel. a.a.O. S. 72.

Trau deinem Knecht, zwei Hälften eines Ganzen,
Und ebenso dein Arm und dieses Schwert.

Kandaules. Das denken alle?
Thoas. Ja, bei meinem Kopf!
Kandaules. So darfs nicht länger bleiben! Nimm denn hin
Und tu, was ich gebot. (1)

Was nun das innere Verhältnis von Kandaules und Rhodope betrifft, so könnte gerade hier das Wort des Theoretikers zutreffen: "Zwei Hände können sie wohl fassen, aber doch nicht ineinander verwachsen. So Individualität zu Individualität" (T 1848). Der Geschlechtergegensatz wird in dieser Tragödie durch die schon zuvor erprobte kontrastierende Charaktergestaltung vertieft: Kandaules erweist sich als der extravertierte Charakter, Rhodope dagegen zeigt sich introvertiert. Der Konflikt, der in seiner Erlebensweise schon im ersten Akt durch Rhodope vorangekündigt wird, indem sie auf den möglichen Fluch, der auf dem Ring lastet, hinweist, entzündet sich schließlich am "schamlosen" Verhalten ihres Mannes, denn "das Zur-Schau-Stellen der Entkleideten im Schlafgemach verletzt das Naturrecht der Frau"[2]. Kandaules behandelt - wie schon zuvor Herodes - seine Gattin als Objekt, und das"ist die Versündigung an dem Heiligkeitswert der Person schlechthin"[3]. Herodes behandelt seine Frau in übermäßiger Eifersucht als sein Eigentum und beraubt sie damit ihrer freien Subjektivität; in ähnlicher Weise setzt Kandaules seinen Willen über den seiner Gattin und entwürdigt damit ihre Persönlichkeit. Dieses egozentrische Verhalten des Mannes ist eine Herausforderung der Frau, die nun ihrerseits die Ichhaftigkeit übersteigert und Rache fordert, denn "die Selbstbehauptung der Befleckten ist nur in der Rache möglich"[4]. Kandaules hat durch seine ungezügelte Triebhaftigkeit die fundamentale Basis der Liebe, die zweifelsohne das Vertrauen und die Ehrfurcht vor dem Du ist, radikal zer-

---

1) Friedrich Hebbel: Werke. Hanser Ausgabe. a.a.O. S. 10.
2) Helmut Kreuzer: Hebbels "Gyges un sein Ring". a.a.O. S. 301.
3) ebd. S. 300.
4) ebd. S. 301.

stört. Und wie Mariamne, so flüchtet auch Rhodope in die Innerlichkeit, in die "indische Welt"[1] ihrer Sittlichkeit.
Die Positionen von Kandaules und Rhodope sind nach Aufdeckung der schamlosen Verhaltensweise des Kandaules nun unwiderruflich verhärtet, wenn die Königin voller Enttäuschung sagt: "Nicht als Sklavin, als Königstochter trat ich in dies Haus", um sich schließlich ganz von ihrem Mann abzuwenden.

> Das Wasser wird
> Sich nicht in Feuer wandeln, wenn der Mund
> Des Durstgen es berührt, das Feuer nicht
> Erlöschen, wenn der Hauch des Hungrigen
> Es auf dem Herde anbläst, nein, o nein,
> Die Elemente brauchens nicht zu künden,
> Daß die Natur vor Zorn im Tiefsten fiebert,
> Weil sie verletzt in einem Weibe ist:
> Wir wissen wohl, was geschah! (2)

Die Rache ist schließlich sichtbarster Ausdruck des entehrten Ichs und steigert sich bei Rhodope wie schon zuvor bei Mariamne bis hin zur Rachsucht: "Du mußt ihn töten!"[3]
Diesen Auftrag erteilt sie Gyges, mit dem sie sich nun verbunden glaubt und mit dem sie sich vermählt, weil er sie so gesehen hat, wie es nur einem Gemahl zusteht. Nachdem dieser Kandaules im Zweikampf besiegt und getötet hat, beendet auch die "Befleckte" ihr Leben mit einem Dolchstoß, indem sie sich Hestia, der "Hüterin der Flamme"[4] anvertraut, die ihren unsittlichen Zustand nicht zu läutern, aber doch zu verzehren vermag. Rhodope ist sich somit einerseits selbst treu geblieben, andererseits hat sie so gehandelt, wie es die religiöse Sitte ihres Landes vorschrieb.

> Der Charakter, die Lebensart, die Sitten des Volks bis auf die kleinsten Verrichtungen, ja bis auf die Gedanken und Worte ist ihr Werk; und obgleich viele Stücke der Brahmanen-Religion äußerst drückend und beschwerlich sind, so bleiben sie doch auch den niedrigsten Stämmen wie Naturgesetze Gottes heilig. (5)

---

1) ebd. S. 305.
2) Friedrich Hebbel: Werke. Hanser Ausgabe. a.a.O. S. 57.
3) ebd. S. 57.
4) ebd. S. 72. Indem Hebbel Rhodope sich Hestia, der Göttin des Feuers, anvertrauen läßt, so will er den eigentlich eher europäisch anmutenden Selbstmord als Flammentod symbolisiert wissen.
5) J.G. Herder: Ideen zur Philosophie. a.a.O. S. 292.

Auch in dieser Tragödie ist Hebbel davon ausgegangen, daß das Unsittliche bzw. Krankhafte und sein Träger vernichtet werden müssen. Der Dichter schreibt einmal in einem Notat vom Jahre 1840: "Der echte Dichter ist der Arzt, der falsche der Chirurg seiner Zeit" (T 2086). Während der Chirurg nämlich nur einzelne Teile aus dem kranken Körper operativ entfernt oder behandelt, beschäftigt sich der Arzt ganz allgemein mit dem erkrankten Organismus. Rhodope hat durch ihre Rache schließlich das Unsittliche selbst vernichtet; "entsühnt"[1] zieht sie es vor, dem irdischen Leben zu entsagen, weil die Tugend nur dort Bestand hat, wo sie in göttlichen Regionen ewig waltet.

Auch im "Gyges" demonstriert der Dichter die Zuordnung der psychologischen Motivierung zur Idee:

> Wieder überlädt Hebbel die schmale Basis der Fabel, indem er - allerdings vergeblich - Kandaules' rohes Vergehen an Rhodope mit dessen Verlangen nach Neuerung des Weltzustands zu verbinden sucht und ihn an den Schlaf der Welt rühren läßt.(2)

Den Charakteren, hier der "vorwärtsdrängende"[3] Kandaules, dort die traditionsbewußte Inderin, unterlegt Hebbel extreme Seinsweisen, um sie auf die Idee, nämlich auf die Kollision von Fortschritt und Überliefertem, zu fixieren. Aber trotz seines Bemühens, die geschichtliche Idee sichtbar zu machen, bleibt diese Tragödie der individuellen Problematik zweier verschieden gelebter Existenzen verhaftet. Ähnlich wie in Herodes und Mariamne scheint auch hier der geschichtliche Hintergrund nachträglich aufgesetzt zu sein, so daß er ohne größere Resonanz bleibt.

---

1) Friedrich Hebbel: Werke. Hanser Ausgabe. a.a.O. S. 72.

2) Werner Keller: Nachwort. a.a.O. S. 982.

3) ebd. S. 982. Keller schreibt weiter: "Die Mängel des Dramas muß Hebbel gespürt haben, eben weil seine Äußerungen über das Stück das Gewollte als das Erreichte zu suggerieren suchen. (...) Das Zeiten und Kulturräume überdauernde Exemplarische einer Existenz, die unbedingten Anspruch erheben darf, kann die fremdländische, ganz individuelle Frau mit dem Schleier nicht repräsentieren. Mit diesem an Einzelschönheit reichen Drama variierte Hebbel sich selbst".

3) Realität und Mythos

Hatte Hebbel mit dem "Gyges" eine Tragödie geschaffen, die sich in der Thematik der Geschlechtertragik in die monumentalen Geschichsgemälde von der "Judith" über "Herodes und Mariamne" bis zu den "Nibelungen" einreiht und den existentiellen Grundkonflikt auch in das bürgerliche Trauerspiel "Maria Magdelena" und in die dramatisierte Legende "Genoveva" verarbeitet, bildet das Staatsdrama "Agnes Bernauer" eine Ausnahme.
Diese Tragödie, die bis zum Ende des zweiten Aktes noch ganz "Liebesdrama" zu sein scheint, entwickelt sich mit dem ersten Auftritt von Herzog Ernst im dritten Akt zum "Staatsdrama"[1].
Obwohl die psychologische Begrifflichkeit, mit der Hebbel dieses Drama konzipiert hat, dieselbe ist wie in den vorangegangenen Tragödien, ergeben sich doch erhebliche Differenzen in der definitorischen Handhabung solcher Begriffe wie Egoismus und Schuld.

Es gibt nämlich für Hebbel gewisse Unterschiede in den egoistischen Verhaltensweisen. Wenn z.B. Judith ihren Egoismus nur zur Durchsetzung persönlicher Ziele mißbraucht und glaubt, "für die ganze Welt tätig zu sein", so gehört sie nach Hebbels Worten zu den "schlimmsten, denn nicht einmal das Bewußtsein setzt ihnen eine Grenze" (T 2637). Anders dagegen verhält sich Herzog Ernst, der in seiner politischen Entscheidung, Agnes vernichten, davon ausgeht, daß sich das Individuum einer gesellschaftlichen Notwendigkeit zu unterwerfen hat. Seine dualistische Haltung, Agnes als Staatsmann töten, aber als Mensch achten zu müssen, verweist auf die folgende Anschauung Hebbels:

> Wenn der Mensch sein individuelles Verhältnis zum Universum in seiner Notwendigkeit begreift, so hat er seine Bildung vollendet und eigentlich auch schon aufgehört, ein Individuum zu sein, denn der Begriff dieser Notwendigkeit, die Fähigkeit, sich bis zu ihm durchzuarbeiten und die Kraft, ihn festzuhalten, ist eben das Universelle im Individuellen, löscht allen unberechtigten Egoismus aus und befreit den Geist vom Tode, indem er diesen im wesentlichen antizipiert. (T 4274)

---

1) Werner Keller: Nachwort. a.a.O. S. 978.

Herzog Ernst, der seinen Bildungsweg vollendet hat, läßt Agnes also nicht aus egoistischen Motiven töten, sondern aus der Einsicht, daß eine politische Legitimation der Heirat seines Sohnes mit der schönen Augsburgerin die Ordnung des Staates stören und seine traditionellen Elemente in Frage stellen würde.

> Eine sittliche Rechtfertigung des Mordbefehls kann der Herzog nicht erklügeln: die politische Rechtfertigung bedient sich der Argumentation der Hohenpriester und Pharisäer: Es sei besser, ein Mensch strebe, als daß das ganze Volk verderbe. Der Mord wird vollzogen, wie bedenklich seine Gründe und wie unübersehbar seine Folgen auch sind. Der Herzog nimmt die Schuld bewußt und ungeteilt auf sich - eine für Hebbel tragische, von den Bedingungen des Staates diktierte unausweichliche Schuld. (1)

Mit Recht hat Helmut Kreuzer darauf hingewiesen, daß Hebbel in dieser Tragödie - allerdings mit einigen Einschränkungen - von Hegel beeinflußt worden ist. Der Dichter orientiert sich hier weitgehend am Schuldbegriff Hegels und seiner dialektischen Methode: die "Kollision" der Ideale, hier die Sittlichkeit und Liebe bzw, "menschliche Gesetz", dort das Recht des Staates, "enthält nur die Anfänge und Voraussetzungen zu einer Handlung"[2].
Hegel fordert nun eine synthetische Vereinigung der Ideale, "damit sich aus ihr durch Lösung der Konflikte die Harmonie als Resultat ergebe und in dieser Weise erst in ihrer vollständigen Wesentlichkeit hervorsteche"[3].
Der Konflikt entzündet sich aber hier nicht an der Unzulänglich-

---

1) ebd. S. 979.

2) G.W.F. Hegel: Vorlesungen über die Ästhetik. Auf der Grundlage der Werke 1832 - 45 neu edierte Ausgabe. Redaktion Eva Moldenhauer und Karl Markus Michel. 3 Bde. Frankfurt a.M 1970. Hier: Bd. I, S. 267. H. Kreuzer schränkt richtig ein, daß Hebbel nicht "bewußt von Hegel ausgegangen sei (von dessen Staatsauffassung ihn auch manches trennt). Doch wird der Sinn seiner Formel von Hegel her deutlich, und damit sehen wir klarer, wie Hebbel verstanden werden wollte". Helmut Kreuzer: Hebbels "Agnes Bernauer" (und andere Dramen der Staatsraison und des politischen Notstandsmordes). In: Hebbel in neuer Sicht. S. 267 - 293. Hier: S. 286.

3) G.W.F. Hegel: Ästhetik. a.a.O. S. 268.

keit des Einzelnen, sich im Partner einfühlend und liebend wiederzuspiegeln und auch nicht an der Rache eines in seinem fürstlichen Stolz verletzten Herzog Ernst, sondern an der "Kollision" der Liebe in ihrer Unbedingtheit auf der einen und dem "patriarchalischen Staatsgedanken"[1] auf der anderen Seite. Obwohl diese Tragödie Hebbels manche Mängel aufweist, die vor allem die unzureichende Behandlung der sozialpolitischen Basis betrifft, so erscheint sie doch in ihrem dramatischen Gefüge realitätsbezogener als die vorangegangenen Tragödien, sieht man einmal von der "Maria Magdalene" ab.

Als sich Hebbel vier Jahre später an den Nibelungen-Stoff heranwagt, begeht er den Fehler, auch diese Tragödie mit den Mitteln der modernen Psychologie zu motivieren. Er legt schließlich der dramatischen Konzeption dieses mythischen und epischen Stoffes alle jene tragischen Aufbauelemente zugrunde, die er schon als existentielle Grundkonflikte in die "Judith" bis zu "Herodes und Mariamne" und "Gyges und sein Ring" transponiert hatte.

> Nicht nur in Siegfried und Hagen, sondern auch in anderen Gestaltengruppen kehren, wenn auch in charakteristischer Abwandlung, Motive aus früheren Dramen Hebbels wieder: die Erniedrigung des Weibes zum Ding in Brundhild, der Mann zwischen zwei Frauen in Siegfried, das Problem der schuldlosen, schon durch die bloße Existenz und ihr Übermaß gegebenen Schuld in Siegfried und der Gedanke der Rache um jeden Preis, die zu jedem, auch dem erotischen Opfer bereit ist, in Kriemhild. (2)

Hebbel gelingt es aber nicht, die sagenumwobenen Nibelungen-Helden ganz zu entmythisieren.

> Wohin man blickt, sieht man Eisenmänner und Riesenweiber, verbissene Geschlechtertragik, Grausamkeit, sadistische Übersteigerung: alles Motive, die Hebbel nicht zum ersten Mal gestaltet. (3)

---

1) Helmut Kreuzer: Hebbels "Agnes Bernauer" (und andere Dramen der Staatsraison und des politischen Notstandsmordes). a.a.O. S. 286.

2) Benno von Wiese: Die deutsche Tragödie von Lessing bis Hebbel. a.a.O. S. 632.

3) Helmut Kreuzer: Hebbels "Agnes Bernauer". a.a.O. S. 317.

Obwohl Hebbels "Nibelungen" bei ihrer Premiere in Wien begeistert gefeiert wurden, blieben sie immer fragwürdig, weil dieses tragische Monument allzu sehr auf das romantische Erleben und seine nationale Gefühlswelt zugeschnitten ist. Während das Staatsdrama "Agnes Bernauer" auch heute noch Aktualität besitzt und zum Nachdenken anreizt, bleibt die Nibelungen-Trilogie dem modernen Theater fremd. Darüber hinaus stand es schon immer und steht es noch heute ganz im Schatten von Wagners "Ring".

Psychologische Grundzüge der Charaktere und ihre stärksten Motive

- M A N N -	- F R A U -
extravertiert	introvertiert
Egozentrik	Egoismus
Selbstsucht	Stolz
Maßlosigkeit	Selbstüberhebung
Leidenschaft	Liebe
Grausamkeit	Fanatismus
Realismus	Illusionismus

Konfliktauslösende A K T I O N E N ⟶ O B J E K T

Maßlosigkeit (Holofernes)	erotisches Motiv[1]	Judith
Leidenschaft (Herodes)	Motiv Mißtrauen[2]	Mariamne
Sinnlichkeit (Kandaules)	sexuelles Motiv[3]	Rhodope
(Golo)	Motiv Wollust[4]	Genoveva
Dogmatismus (Anton)	moralische Motive[5]	Klara
(Ernst)	Motiv Staatsräson	Agnes

R E A K T I O N E N ---------- M O T I V E

Rache	verletzte Weiblichkeit
Duldung	religiöse und sittl. Motive

Die einzelnen Grundzüge und Motive sind noch weiter modifizierbar, gerade die hier angegebenen Motive von 1 - 5. Die konfliktauslösenden Motive gehen bis auf die "Judith" immer vom Mann aus.

Die spezifischen Einflüsse der zeitgenössischen Philosophie und Psychologie auf die Begrifflichkeit Hebbels

Abgrund: 1.Phase: Feuerbach (Nichts) "Das Wesen des Christentums; 2.Phase: Solger (Nichtigkeit) "Nachgelassene Schriften und Briefwechsel", Schelling (Abgrund) Philosophie der Mythologie und Offenbarung" - T 169

Allgemeine, das: 1.Phase: Feuerbach "Das Wesen des Christentums", Schubert; 2.Phase: Goethe "Dichtung und Wahrheit" - T 263, Schelling (das Gemeinschaftliche) "System der Naturphilosophie, Steffens (Einheit) "Die Karikaturen des Heiligsten"

Animalität/Vegetabilität: 1.Phase: Schubert - T 15; 2.Phase: Schelling "System der Naturphilosophie", Steffens "Anthropologie", (Goethe, Carus, Burdach)

Anomalie: 2.Phase: Cullen "Treatise on the materia medica" - T 118, Solger (Abnormität) "Nachgelassene Schriften und Briefwechsel", Floegel "Geschichte der Hofnarren", Novalis "Fragmente", (Moritz, Mittermaier)

Auge: 2.Phase: Novalis "Fragmente" - T 1813

Bewußtsein: 1.Phase: Feuerbach "Das Wesen des Christentums", (Schubert); 2.Phase: Schelling, Steffens "Die Karikaturen des Heiligsten"; 3.Phase: Carus, Burdach

Bildung/Belehrung: 2.Phase: Goethe "Dichtung und Wahrheit" - T 512, Schelling, Steffens, Novalis

Böse, das: 1.Phase: Schubert "lehrbuch der Menschen- und Seelenkunde"; 2.Phase: Schelling "Philosophie der Mythologie und Offenbarung" - T 806, Steffens "Die Karikaturen des Heiligsten

Dialektik: 2.Phase: Solger "Nachgelassene Schriften und Briefwechsel", 3.Phase: Hegel - T 2253

Diätetik: 2.Phase: Mittermaier; 3.Phase: Chr.W. Hufeland "Makrobiotik oder die Kunst das menschliche Leben zu verlängern" - T 2974, Feuchtersleben "Zur Diätetik der Seele"

Differentia specifica: 3.Phase: Hamann "Kritik der reinen Vernunft" - T 2598

Ding: 2.Phase: Benzel-Sternau "Das goldene Kalb

Dualismus (Gegensatz, Widerspruch): 1.Phase: Schubert, Feuerbach; 2.Phase: Schelling "Philosophie der Mythologie und Offenbarung" - T 1546, Steffens (Urgegensatz) "Die Karikaturen des Heiligsten"

Dulden: 2.Phase: verm. Kant "Anthropologie in pragmatischer Hinsicht" - T 1516

Egoismus: 1.Phase: Feuerbach (Selbstliebe) "Das Wesen des Cristentums"; 2.Phase: Schelling (Egoism, Eigenwillen) "System des transzendentalen Idealismus", Steffens (Selbstsucht) "Die Karikaturen des Heiligsten", Benzel-Sternau (Eigennutz)"Das goldene Kalb", Platner (Eigensinn) "Philosophische Aphorismen"

Empfindung: 2.Phase: Hamann "Schriften zur Sprache" - T 231

Entschuldung: 2.Phase: Lichtenberg "Aphorismen"

Freiheit/Notwendigkeit: 1.Phase: Schubert; 2.Phase: Schelling, Solger, Steffens

Gattung: 1.Phase: Feuerbach; 2.Phase: Schelling "System der Naturphilosophie", Steffens "Anthropologie"; 3.Phase: Carus

Gefühl (Gemüt): 1.Phase: Schubert "Symbolik des Traumes", Feuerbach "Das Wesen des Christentums"; 2.Phase: Schelling, Hamann "Schriften zur Sprache" - T 942, Jacobi "Von den göttlichen Dingen und ihrer Offenbarung", "Woldemar", Novalis "Fragmente", (Goethe, Rousseau, Lichtenberg), Solger "Nachgelassene Schriften und Briefwechsel"; 3.Phase: Carus: Psyche. Zur Entwicklungsgeschichte der Seele"

Geist/Natur: 1.Phase: Schubert "Ahndungen einer allgemeinen Geschichte des Lebens"; 2.Phase: Schelling, Steffens; 3.Phase: Hamann "Kritik der reinen Vernunft" - T 3665, Holbach, Helvetius

Geschlechtergegensatz: 1.Phase: Schubert "Die Geschichte der Seele", Feuerbach; 2.Phase: Schelling, Fr. Hufeland "Über Sympathie", Steffens "Anthropologie", Novalis "Fragmente", Rosseau "Julie", Jacobi "Woldemar", Platner; 3.Phase: Carus, Burdach, W. von Humboldt

Gewissen: 1.Phase: Schubert "Die Geschichte der Seele"; 2.Phase: Schelling, Herder "Ideen zur Philosophie der Geschichte der Menschheit", Steffens; 3.Phase: Hegel

Gift(einsaugekunst): 2.Phase: Lichtenberg "Aphorismen" - T 672

Grenze (Beschränkung, Schranke): 1.Phase: Schubert: Ahndungen einer allgemeinen Geschichte des Lebens", Feuerbach; 2.Phase: Schelling - T 1719, Steffens (Schranke) "Die Karikaturen des Heiligsten", Goethe

Homöopathie: 2.Phase: Novalis "Fragmente"

Humanität: 2./3.Phase: Herder - T 3931, T 3946

Ich: 1.Phase: Schubert; 2.Phase: Schelling, Fichte

Individualität: 1.Phase: Schubert, Feuerbach; 2.Phase: Solger "Nachgelassene Schriften und Briefwechsel", Schelling, Goethe; 3.Phase: Hegel, Carus

Instinkt: 3.Phase: Helvetius, Holbach - T 4981

Krankheit/Gesundheit: 2.Phase: Steffens "Die Karikaturen des Heiligsten", Lichtenberg "Aphorismen", Jacobi "Woldemar", Rosseau, Novalis, Benzel-Sternau, Mittermaier; 3.Phase: Chr.W. Hufeland "Makrobiotik"

Leidenschaft: 1.Phase: Feuerbach; 2.Phase: Steffens (Romane, Novellen), Rousseau "Julie" - T 628, Benzel-Sternau, Goethe, Platner, Solger; 3.Phase: Kant, Carus

Liebe: 1.Phase: Schubert, Feuerbach; 2.Phase: Schelling, Goethe, Jacobi, Rousseau

Moralität: 2.Phase: Schelling, Steffens, Novalis, Herder; 3.Phase: Chr.W.Hufeland

Magnetismus: 1.Phase: Schubert; 2.Phase: Schelling, Kerner "Die Seherin von Prevorst, Eschenmayer, Steffens "Anthropologie"

Natur, edle: 2.Phase: Steffens "Die Karikaturen des Heiligsten" - T 2901

Pathologie: 2.Phase: Steffens "Die Karikaturen des Heiligsten" - T 1170, Novalis "Fragmente"

Phantasie: 2.Phase: Goethe (Naivität), Schelling; 3.Phase: Kant

Physiognomie: 1.Phase: verm. Lavater; 2.Phase: Herder, Lichtenberg; 3.Phase: Carus

Physiologie: 3.Phase: Hampel - T 2514, T 2519, A. von Haller, J.Müller, Moleschott, Vogt

Rache: 2.Phase: Steffens (Romane, Novellen), Platner "Philosophische Aphorismen"

Seele: 1.Phase: Schubert "Lehrbuch der Menschen- und Seelenkunde"; 2.Phase: Hamann - T 944, Wolff, Leibniz

Selbstbehauptung: 2.Phase: Platner

Selbstbewußtsein: 1.Phase: Schubert, Feuerbach; 2.Phase: Schelling, Solger, Jacobi - T 450

Selbstgefühl: 1.Phase: Feuerbach; 2.Phase: Jacobi

Selbstentfremdung: 1.Phase: Feuerbach "Das Wesen des Christentums"

Schicksal/Zufall: 1.Phase: Schubert "Ahndungen einer allgemeinen Geschichte des Lebens"; Schelling "System des transzendentalen Idealismus"; 3.Phase: Hegel "Ästhetik"

Schlaf: 1.Phase: Schubert, Feuerbach; 2.Phase: Schelling; 3.Phase: Carus

Schuld: 2.Phase: Schelling; 3.Phase: Hegel "Rechtsphilosophie" - T 3088

Sinnlichkeit: 2.Phase: Rousseau, Jacobi, Benzel-Sternau, Platner, Solger

Sittlichkeit: 1.Phase: Schubert; 2.Phase: Schelling, Solger, Jacobi "Woldemar", Herder, Steffens; 3.Phase: Hegel, Chr. W. Hufeland

Spiegel (Abspiegeln): 1.Phase: Schubert "Symbilik des Traumes; 2.Phase: Novalis "Fragmente", Kerner "Die Seherin von Prevorst"

Tiefenpsychologie: 1.Phase: Schubert Symbolik des Traumes"; 2.Phase: Schelling, Kerner, Steffens, Jacobi, Hamann, Fr. Schlegel, Novalis; 3.Phase: Carus, Burdach,(Schopenhauer)

Traum: 1.Phase: Schubert; 2.Phase: Schelling, Kerner, Moritz "Magazin zur Erfahrungsseelenkunde", Hamann; 3.Phase: Carus

Unbewußte, das: 1.Phase: Schubert; 2.Phase: Schelling, Steffens, Hamann, Jacobi; 3.Phase: Carus, Burdach

Vereinzelung: 1.Phase: Feuerbach; Schelling, Steffens

Verstand/Vernunft: 1.Phase: Feuerbach; 2.Phase: Platner "Philosophische Aphorismen" - T 588, Jacobi, Herder; 3.Phase: Kant, Hegel "Phänomenologie des Geistes"

Wahnsinn: 1.Phase: Schubert "Lehrbuch der Menschen- und Seelenkunde"; 2.Phase: Mittermaier - T 315, Moritz, Novalis (Solger)

Wahrheit/Irrtum: 2.Phase: Steffens "Die Karikaturen des Heiligsten", Schelling, Novalis

Wärme/Kälte: 1.Phase: Schubert; 2.Phase: Schelling, Novalis, Steffens "Anthropologie"; 3.Phase: Chr.W. Hufeland

Weib: 1.Phase: Schubert, Feuerbach; 2.Phase: Schelling, Goethe, Rousseau, Benzel-Sternau, Steffens "Anthropologie", Jacobi "Woldemar"; 3.Phase: Carus, Burdach, Schopenhauer, W. von Humboldt "Schriften zur Anthropologie und Geschichte"

Wille: 2.Phase: Fichte, Schelling (Eigenwille) "System des transzendentalen Idealismus"

Wissen: 2.Phase: Schelling, Steffens "Die Karikaturen des Heiligsten", Goethe

Wollust: 1.Phase: Schubert "lehrbuch der Menschen- und Seelenkunde", Platner "Philosophische Aphorismen"

V) Hebbels Charaktergestaltung im Vegleich zur modernen Psychologie

Vergleicht man die Psychologie Hebbels, wie sie in seinen Dramen zum Ausdruck kommt, mit dem gegenwärtigen Stand der Charakterkunde, so erweist sie sich in vielen Punkten als durchaus modern. Nehmen wir z.B. den Geschlechtergegensatz, der ja bei Hebbel eine zentrale Bedeutung erlangt: obwohl der Dichter zu Beginn der zweiten Phase das Verhältnis der Geschlechter nicht nur aus der gesellschaftlichen, sondern auch aus einer biologistischen Perspektive zu deuten versucht und am Gegensatz festhält, vertritt er schon einige Zeit später die Theorie des Mischverhältnisses: "Das Weib im Mann zieht ihn zum Weibe; der Mann im Weibe trotzt dem Mann" (T 1981)[1].

Diese "Beidgeschlechtlichkeit" zeigt sich am deutlichsten an der dramatischen Gestalt der Judith, die sich aus ihrer primär weiblichen Rolle befreit, um sich gegenüber dem Mann "männlich" behaupten zu können. In seinen Tagebüchern hält der Dichter dagegen an dem konventionell-pragmatischen Standpunkt fest, daß das Weib nur innerhalb der Familie etwas sein kann (Vgl. T 2927).

Im Grunde hat Hebbel nie das rätselhafte Wesen der Frau verstanden; das zeigt sich nicht nur an der dramatischen Charaktergestaltung Mariamnes, sondern auch in seinem eigenen Verhalten gegenüber Elise. Wellek betont zu Recht, daß die psychologische Deutung der Frau immer wieder von Männern erstellt worden sei: "Und folglich wird auch die Psychologie der Frau von Männern geschrieben - naturgemäß unter männlichem Gesichtswinkel"[2].

---

1) Wellek schreibt zum Mischverhältnis von männlichen und weiblichen Grundzügen: "Die Geschlechter sind also, nach dieser Betrachtungsweise, nicht einfach bloß Klassen oder Varianten nach Art der biologischen Art und Gattung, sondern sie sind eben Typen mit fließenden Übergängen, das heißt Mischungen, zwischen den reinen Fällen". Albert Wellek: Psychologie. a.a.O. S. 129.

2) ebd. S. 116.

Hebbel geht von der idealtypischen Setzung eines extravertierten (Mann) und eines introvertierten Charakters (Frau) aus und überwindet (weil für das Drama unbrauchbar) damit die alte Temperamenteneinteilung in Sanguiniker, Melancholiker, Choleriker und Phlegmatiker, die von Empedokles und Hippokrates ausgegangen ist.

Diese Einteilung muß aber zwangsläufig unzureichend bleiben, weil der Dichter dieses von Schelling erstellte Schema nicht weiter modifiziert. Seit der "Judith", in der sich der Geschlechtergegensatz auf die Charaktere des Machtmenschen (Holofernes) und Gefühlsmenschen (Judith) beschränkt, bleibt er dieser Fixierung auf den "extravertierte(n) Denktypus, der sich hauptsächlich bei Männern findet"[1] und auf den "introvertierte(n) Fühltypus, hauptsächlich bei Frauen antreffbar"[2] treu, denn "noch nie hat mir ein Weib durch Tiefe des Geistes imponiert, aber wohl durch Tiefe des Gemüts" (T 3635). Die Eigenschaften des "extravertierten Denktypus", wie sie von der modernen Psychologie als spezifische Erscheinungsformen dieses Charakters angesehen werden, finden wir in Hebbels dramatischen Gestalten als jeweils typisierende Qualitäten: "Eigenliebe, Empfindlichkeit, Selbstsucht, Herrschsucht, Dogmatismus, Intoleranz"[3].
Und bei dem"introvertierten Fühltypus" wird vor allem die Rachsucht als spezifischer Ausdruck dieses Naturells hervorgehoben. Darüber hinaus gibt es noch eine ganze Anzahl von Übereinstimmungen, die darauf schließen lassen, daß sich Hebbel allein auf diese beiden Arten von Charakteren beschränkt und sie durchaus modern gesehen und beschrieben hat, wobei allerdings immer das Ideelle im Vordergrund steht. Wenn Mariamne und Rhodope sich jeglichen Gefühlsüberschwanges enthalten und nach innen verstummen, so stimmen derartige Züge mit den Ergebnissen der modernen Psychologie überein: "Der Gefühlsausdruck des introvertierten Ge-

---

1) Heinz Remplein: Psychologie der Persönlichkeit. Die Lehre von der individuellen und typischen Eigenart des Menschen. 6. ergänzte Aufl., München/Basel 1967. S. 453.

2) ebd. S. 460.

3) ebd. S. 454.

fühlstypus ist sparsam; er haßt alles übertrieben-überschwengliche Getue"[1].

Auch einzelne psychologische Phänomene sind von dem Dramatiker modern gedeutet worden. Die Liebesunfähigkeit des Holofernes, die durch Hebbel in exzellenter Weise durch das fehlende Mutter-Sohn-Verhältnis motiviert wurde, wird in einem engen Zusammenhang mit der Egozentrizität des assyrischen Feldherrn demonstriert: "Er ist der krasse Egoist: ...er ist kalt, hart, herzlos und mitleidlos, im Extremfall erbarmungslos, roh und brutal"[2], psychisch negative Eigenschaften, die das Verhalten des Holofern treffend charakterisieren. Auch das Zusammenspiel von Charakter und Schicksal, das Hebbel als grundlegend dramatisches Gesetz seiner Charaktergestaltung betrachtete, wird von der modernen Charakterkunde aufgegriffen: "Die Kompliziertheit des Zusammenhanges zwischen Charakter und Schicksal wird besonders deutlich, wenn man bedenkt, daß es sehr auf die Art des Charakters ankommt, wie groß die Abhängigkeit des Schicksals vom Charakter im konkreten Falle ist"[3]. Hebbel ist also zu Recht von der These Solgers ausgegangen, daß der Charakter das Schicksal des Menschen bestimmt.

> Aber nicht nur für den Lebenslauf großer Männer ist der Charakter von Bedeutung; ist er dort der entscheidende Faktor, so ist im Dasein der übrigen Menschen die psychische Eigenart mindestens ein den Lebenslauf mitbestimmender Faktor. In erster Linie sind hier die dynamischen Komponenten des Seelenlebens maßgebend: die Art der Strebungen und Interessen bestimmt die Lebensziele, und ihre Stärke entscheidet darüber, wieviel Kraft und Ausdauer auf die Erreichung dieser Ziele verwendet wird. Bei ihrer Verfolgung gerät der Mensch fast immer mit den Interessensgebieten anderer Menschen in Berührung und löst dadurch bei ihnen verschiedene, bald feindliche, bald freundliche Reaktionen aus... (4)

Die Art der Kollision in der Tragödie, die durch das Aufeinanderprallen zweier Charaktere entsteht, deren Grundeigenschaften häu-

---

1) ebd. S. 460.
2) ebd. S. 260.
3) Hubert Rohracher: Kleine Charakterkunde. a.a.O. S. 284.
4) ebd. S. 284.

fig analog motiviert sind, führt zwangsläufig zu feindlichen Reaktionen.
Das primäre Interesse des Herodes, von Mariamne einen sichtbaren Beweis für ihre Liebe zu ihm zu erheischen, wird von dem Dramatiker derart gesteigert, daß es schließlich zur offenen und folgenschweren Konfrontation kommen muß. Auch das Verharren Meister Antons auf Konvention und traditioneller Gesellschaftsordnung effiziert die Kollision gesellschaftlicher und individueller Werte. In allen Tragödien kommt schließlich dieses starre Festhalten an einer Idee oder einem persönlichen Bedürfnis zum Ausdruck, die das menschliche Zusammenleben (Interaktion) in Frage stellen.

Ausgangspunkt aller innerdramatischen Mißverhältnisse ist Hebbels pathologische Sicht. Der Dichter, der sich hier vor allem durch Novalis beeinflußt zeigt[1], ist immer bestrebt, das Kranke aufzuzeigen, sei es in Form der Sinnlichkeit oder der Leidenschaft, des Lasters oder des Irrtums. Dabei spielt die Sexualität eine wichtige Rolle: Judith, Golo, Herodes oder Kandaules sehen in ihrem Partner jeweils ein Sexualobjekt, wenn die Motive ihres

---

1) Novalis hat Hebbel darauf hingewiesen, daß allein das Kranke für das Drama interessant erscheint: "Das Ideal einer vollkommnen Gesundheit ist bloß wissenschaftlich interessant. Krankheit gehört zur Individualisierung" (N 1035).

2) Der Verfasser zitiert hier aus einem Handwörterbuch die Definition des Begriffes Pathologie, weil dadurch deutlich wird, welche Erscheinungen diesem Begriff gegen Ende des 18. Jahrhunderts zugeordnet wurden: "Pathologie" - "Es giebt aber auch eine psychologische, welchen den Ursprung und die verschiedene Beschaffenheit der Seelenkrankheiten erforscht. Theilt man nun diese wieder in logische (Irrthümer und Vorurtheile) physische eigentlich oder in engerem Sinne psychische Krankheiten) und ethische (Affecten, Leidenschaften, Laster): so giebt es auch wieder eine dreifache psychol. Pathog. und Pathol. (...) Seelenkrankheiten; desgleichen die Artikel: Affect, Irrthum, Laster, Leidenschaft und Vorurtheil". Allgemeines Handwörterbuch der philosophischen Wissenschaften nebst ihrer Literatur und Geschichte. Nach dem heutigen Standpuncte der Wissenschaft erarbeitet und herausgegeben von Wilhelm Traugott Krug. Leipzig (Brockhaus) 1828. 4 Bde. Hier: Bd. III, S. 147.

Handelns zunächst auch anders erscheinen mögen. Die Konfrontation zwischen Kandaules und Rhodope z.B. erwächst aus einer polaren Erlebnisweise der Sexualität; während die Libido bei dem lydischen König überaus stark entwickelt ist, kann man bei Rhodope - auf Grund ihrer gesellschaftlichen und religiösen Erziehung - von Frigidität, nicht einmal so sehr von Scham sprechen, obgleich Sigmund Freud darauf hinweist, daß "die Macht, welche der Schaulust entgegensteht (...), die Scham"[1] ist. Das eifersüchtige Verhalten des Herodes, das nichts mehr fürchtet, als daß Marc Anton die Gattin sexuell unterwerfen könnte, hat Hebbel im Zusammenhang mit dessen stark entwickelter Persönlichkeit ebenso gut motiviert.

> Das sexuelle Verhalten eines Menschen ist oft verbindlich für seine ganze sonstige Reaktionsweise in der Welt. Wer als Mann sein Sexualobjekt energisch erobert, dem trauen wir ähnliche rücksichtslose Energie auch in der Verfolgung anderer Ziele zu. (2)

In noch stärkerem Maße als Herodes und Kandaules richtet Golo seine ganze Energie auf sein sexuell erwünschtes Objekt Genoveva. Golos sexuelle Begierden arten schließlich in Wollust und Grausamkeit aus.

> Die Sexualität der meisten Männer zeigt eine Beimengung von Aggression, von Neigung zur Überwältigung, deren biologische Bedeutung in der Notwendigkeit liegen dürfte, den Widerstand des Sexualobjektes noch anders als durch die Akte der Werbung zu überwinden. Der Sadismus entspräche dann einer selbständig gewordenen, übertriebenen, durch Verschiebung an die Hauptstelle gerückten aggressiven Komponente des Sexualtriebes. (3)

Hebbel hat dieses Verschieben und Verdrängen der Triebe am deutlichsten an der Gestalt der Judith demonstriert. Da der Jüdin der gesellschaftlich und individuell notwendige Akt des Beischlafs in der Hochzeitsnacht versagt bleibt, vermengt sich der erotische

---

1) Sigmund Freud: Drei Abhandlungen zur Sexualtheorie und verwandte Schriften. Auswahl und Nachwort von Alexander Mitscherlich. Frankfurt a.M/Hamburg 1961. S. 33.

2) ebd. S. 134.

3) ebd. S. 34.

mit dem destruktiven Grundtrieb, so daß Judith unschlüssig ist, ob sie den assyrischen Feldherrn vernichten oder sich ihm unterwerfen soll. Schließlich aber obsiegt in ihr das Über-Ich, das dem gewissensmäßigen Auftrag des Nur-so-handeln-Könnens folgt, um sich nicht am Selbst und vor Gott zu versündigen; dennoch läßt der Dichter bewußt die Möglichkeit offen, ob Judith Holofern aus persönlicher Intention oder auf Grund des höheren Auftrags tötet. Seit ihrem negativen Erlebnis in der Hochzeitsnacht, in der sich Manasses ihr verschließt, wird sie hysterisch, denn sie reagiert nun "auf die Anforderungen des Lebens"[1] mit abnormen Reaktionen. Hebbel hat folgerichtig erkannt, daß die Verhaltensweisen des Menschen primär aus dem Unbewußten gespeist werden. Solche Handlungen aber, die dem unbewußten Seelenleben des Menschen entstammen, sind nach Hebbels Ansicht Krankheiten: Sinnlichkeit, Leidenschaft und Irrtum. Dabei weist er auf ganz spezifische Erscheinungsformen abnormen Verhaltens hin: Wahnsinn, Neurose und Hysterie (Judith), Vorurteil (Meister Anton), Narzißmus (Holofern), Frigidität (Rhodope), sexuelle Schaulust (Kandaules), Wollust und Sadismus (Golo) und Eifersucht (Herodes). Der Dichter hat also schon viele Phänomene des psychischen Fehlverhaltens analysiert und in seinen Dramen zur Darstellung gebracht.

Hebbel hat die tiefenpsychologischen Anschauungen der Romantik und seine eigenwillige Temperamentsauffassung, die aber gewisse Einflüsse von Platner, Moritz und Carus erkennen läßt, in idealer Weise zu vereinen gewußt und seinen dramatischen Grundideen zugeordnet. Sein Ausgangspunkt, die pathologische Sicht von den psychischen Qualitäten und Verhältnissen der Menschen, führt ihn zu einer psychoanalytisch anmutenden Behandlung seiner dramatischen Charaktergestaltung. Hebbel bleibt somit einerseits - vor allem in seinen theoretischen Reflexionen - der romantischen Psychologie verhaftet, geht aber andererseits in seiner dramatischen Gestaltung über das Gedankengut der Romantik hinaus und erscheint daher in der Handhabung seiner Psychologie durchaus modern.

---

1) H. Remplein: Psychologie der Persönlichkeit. a.a.O. S. 409.

D) SCHLUSSBEMERKUNGEN

Die Psychologie Hebbels ist tiefgreifender und in einem erheblichen Maße wissenschaftsbezogener, als es die Forschung bisher wahrhaben wollte. Der Dichter bezieht zwar in keiner Entwicklungsphase seiner Psychologie des Tragischen eindeutig Stellung zugunsten einer bestimmten Richtung innerhalb der zahlreichen Ansätze und Methoden der zeitgenössischen Psychologie, aber es hat sich deutlich gezeigt, daß vor allem Schellings Werk an seinen psychologischen Grundanschauungen partizipiert.
Darüber hinaus ist Hebbel von einigen Anhängern der Schule Schellings beeinflußt worden: in der ersten Phase durch Schubert, wie es Liepe richtig erkannt hat, in der zweiten Phase durch Steffens und Schelling selbst und in der dritten Phase durch Carus und Burdach. Doch damit sind die mannigfaltigen Bezüge des Dichters zu den geistigen Grundströmungen in seiner Zeit noch längst nicht geklärt, auch wenn Michelsen der Ansicht ist:

> Die Härte, in der die vielfältigen Gegensätze der Zeit in diesem Dichter im Kampfe liegen - metaphysische Spekulationen etwa im Hegelschen Stil und die jenseits von Gut- und Böse-Moral des Übermenschen - rief eine Literaturwissenschaft auf den Plan, die der reizvollen Versuchung, diese Heterogenitäten in weltanschaulichen Synthesen zu vereinen, nicht widerstehen konnte. (1)

Alle nur möglichen Mittel wurden angewendet, um die Philosophie und Psychologie Hebbels transparent zu machen; man berief sich aber primär auf Hegel und seit Liepes Analyse der Jugendgedichte Hebbels auch auf Schubert, Feuerbach und Schelling. Das mangelnde Interesse der Forschung, noch tiefer in die psychologischen Grundanschauungen des Dichters einzudringen, mußte zwangsläufig an der These scheitern, daß sich der Dichter sein Welt- und Menschenbild fast ausschließlich nur auf introspektivem

---

1) Peter Michelsen: Das Paradoxe als Grundstruktur Hebbelschen Denkens. a.a.O. S. 80.

Wege erarbeitet habe: "Hebbels Weltanschauung und seine Kunsttheorien sind die Ergebnisse eines geistig unabhängigen Denkers, für den fremde Gedanken lediglich Anregungen zu eigenen Überlegungen bedeuten konnten"[1]. Solche vereinfachende Formeln haben dann mitunter zu falschen Ergebnissen geführt, indem die Forschung die psychologische Motivierung der dramatischen Charaktere in starkem Maße auf das psychische Erleben von Hebbel selbst zurückführte. Die zahlreichen Einflüsse, die über die theoretischen Ansichten Hebbels in seinen Tagebüchern auch in sein dramatisches Werk eingegangen sind, blieben unberücksichtigt und führten mitunter auch zu falschen Ergebnissen.

Hebbel hat sich neben Schelling und seiner Schule mit einer grossen Anzahl von Autoren auseinandergesetzt, von denen ein jeder den Dichter in irgendeiner Weise zu beeinflussen vermochte.

> Seine widerspruchsvolle Stellung in der Mitte des neunzehnten Jahrhunderts war vor allem dadurch bedingt, daß er gleichsam in einem Schnittpunkt der verschiedendsten Weltanschauungen und Geistesrichtungen stand, ohne sich einer von ihnen anzuschließen. (2)

Obgleich diese Ansicht Geißlers zu der Vermutung Anlaß geben könnte, Hebbels Verhältnis zu Schelling wäre auch kein dauerndes gewesen, trifft es aber absolut zu, daß der Dichter im "Schnittpunkt" der geistigen Strömungen seiner Zeit stand. Neben Schelling und seinen Anhängern haben vor allem Herders dynamische Psychologie, Jacobis und Hamanns Lehre vom Primat des Gefühls, Novalis' und Friedrich Schlègels Anschauungen von der Irrationalität des Daseins und Rousseaus anthropologische und soziologische Thesen auf das Werk des Dichters nachhaltig eingewirkt.

Das Bemühen Hebbels, seine psychologischen Erkenntnisse über die

---

1) Horst Siebert: Die dualistischen Weltdeutungen Hebbels und Solgers im Gegensatz zu Hegels dialektischer Philosophie. a.a.O. S. 162.

2) Klaus Geißler: Auseinandersetzung mit der Geschichte. In: Das Bild der Gesellschaft in Friedrich Hebbels Tagebüchern. S. 489 - 503. Hier: S. 489.

Selbstbeobachtung und über die Naturphilosophie der Romantik hinaus noch zu vertiefen, erweitern oder zu ergänzen, veranlaßt ihn, sich auch mit der empirischen Psychologie von Moritz und den mechanistisch-materialistischen Lehrmeinungen Holbachs oder Vogts auseinanderzusetzen; aber obwohl Hebbel "bis zum Standpunkt der linkshegelianischen Religionskritik von Strauß und bis zu Feuerbach (ohne dessen Materialismus anzuerkennen)..."[1] gelangt, bleibt ihm die materialistische Lehre zeit seines Lebens fremd.
Andererseits verweisen viele psychologische Gesichtspunkte, die seinen Tragödien zugrunde liegen, bis in die moderne Psychologie; und nicht einmal Sigmund Freud, der überragende Psychologe des neunzehnten Jahrhunderts, vermochte die Psychologie Hebbels in dessen Tragödien zu übergehen. Der Dichter muß ein ausgesprochen gutes Gespür dafür gehabt haben, die mannigfaltigen psychologischen und soziologischen Strömungen seiner Zeit in seinen Dramen zu einer vollendeten Psychologisierungstechnik zu vereinen. In dieser Hinsicht kann man getrost von Intuition sprechen.
In Anbetracht solcher Erkenntnisse gilt es noch einmal die Tagebücher des Dichters auf ihre Struktur und Funktion hin zu beleuchten. Hebbel legt zwar den Schwerpunkt seiner Welt- und Lebensbetrachtungen tatsächlich auf die Methode der Selbstbeobachtung und behält sie auch zeit seines Lebens bei. Aber an Hand zahlreicher Notate, die in ihrer Beeinflussung durch fremdes Gedankengut nicht immer als solche gekennzeichnet sind, läßt sich feststellen, daß zahlreiche Tagebucheintragungen zwar scheinbar

---

1) Der Dichter ist in dieser Hinsicht sehr wahrscheinlich von Platners Gegenüberstellung von Idealismus und Materialismus ausgegangen: "Es sind in der materiellen Welt durchgängig ausgedrückt Ideen, so wie in den an sich selbst materiellen Buchstaben einer Schrift, oder in den Tönen einer Rede. Demnach ist sie das Werk eines Geistes, und die Erklärung derselben aus den Kräften der Materie, ist eine unnatürliche Kausalerklärung". Ernst Platner: Philosophische Aphorismen. Nebst einigen Anleitungen zur philosophischen Geschichte. I. Teil. Neue durchaus umgearbeitete Ausgabe. Leipzig 1784. S. 422. Allerdings läßt sich hier nicht mehr feststellen, ob Hebbel in stärkerem Maße von Platner oder von Hamann beeinflußt wurde.

auf der Methode der Introspektion basieren, tatsächlich aber auf fremde Einflüsse zurückgehen. In diesem Zusammenhang spielt die Theorie der Präformierung eine nicht unerhebliche Rolle. Obwohl sie auf einige Notate zweifellos zutrifft, läßt sie sich erst auf jene Tagebucheintragungen anwenden, die etwa seit 1840/1 von dem Dichter verfaßt wurden, weil einerseits in dieser Zeit sein Bildungsweg weitgehend abgeschlossen ist, andererseits aber das Quellenmaterial der ersten Phase nicht ausreicht, um für einen früheren Zeitraum derartige Behauptungen aufstellen zu können.
Überzeugender und genauer scheint uns die Theorie des selektiven Verfahrens zu sein, zumal sie keiner anderen Theorie entgegensteht: alle psychologischen Probleme und Erkenntnisse, die Hebbel bei der Lektüre des psychologischen Schrifttums besonders interessieren, ob sie ihm nun neues Anschauungsmaterial vermitteln oder ob sie seine eigenen Ansichten bestätigen können, übernimmt er in seine Tagebücher.
Spätestens seit dem Jahre 1838, als er durch den Einfluß Thorwaldsens dazu bewegt wird, sich noch intensiver mit den Wissenschaften auseinanderzusetzen, wird seine Tagebuch auch zu einem Materialbuch. Die Funktion des Tagebuches, das in der Präambel noch mit der eindeutigen Intention Hebbels begonnen wurde, Biographie und "Notenbuch meines Herzens" (T 1) zu sein, ändert sich schließlich dahingehend, eine Fülle philosophischen, ästhetischen und psychologischen Materials aufzuspeichern. Diese doppelte Funktion der Tagebücher ist für eine Deutung des Hebbelschen Gesamtwerkes sehr aufschlußreich.
Michelsen, der die zahlreichen Widersprüche, die den Tagebüchern Hebbels zweifellos zugrundeliegen, primär auf ein "paradoxes" Denken zurückführt, gelangt zu einer zweifelhaften Schlußfolgerung: die Widersprüchlichkeit in den Tagebüchern impliziere die Widersprüchlichkeit seines Denkens.
Mit der Ablehnung dieser These soll und kann nicht gesagt werden, daß weder Person noch Werk ohne Widersprüche sind; sowohl Rohracher als Vertreter der Psychologie wie auch Sickel als Vertreter der Literaturwissenschaft haben derartige Widersprüche schon in

früheren Jahren aufgedeckt und nachgewiesen.
Wenn sich Michelsen noch mit Recht gegen die "Harmonisierungsversuche" der älteren Hebbelforschung wendet, kann man ihm aber nicht den Vorwurf ersparen, in das andere Extrem verfallen zu sein. Seine Analyse der Tagebücher, "die streng immanent durchgeführt wurde, um das Phänomen rein in den Blick zu bekommen"[1], klammert ein wesentliches Kriterium der Untersuchung aus: den Bezug zur Zeit und die für diese Zeit so charakteristischen "vielfältigen Gegensätze".
Michelsen deutet etwas in die Geisteshaltung Hebbels hinein, das durch den Einfluß Schellings an den Dichter von außen herangetragen wurde, also nicht primär auf dessen eigenen Denkansatz zurückzuführen ist.

> Die Relation des Ichs zur Außenwelt ist unheilbar gestört, und die Wirklichkeit wird als "gleißender Schein-Realismus" abgewertet, der gar nicht existiert (T 6086), so daß im Grunde eine erkenntniswertige Aussage nicht mehr möglich ist. Der Wahrheitsbegriff wird damit problematisch. (2)

Daher ist seine Interpretation jenes auf die Problematik der Wahrheitsfindung gerichteten Hebbelschen Bekenntnisses fragwürdig.

> Die einzige Wahrheit, die das Leben mich gelehrt hat, ist die, daß der Mensch über nichts zu einer unveränderlichen Überzeugung kommt und daß alle seine Urteile nichts als Entschlüsse sind, Entschlüsse, die Sache so oder so anzusehen. (T 3713)

Michelsen weist in diesem Zusammenhang auf die "Erkenntnisskepsis" Hebbels hin und geht davon aus, daß es nur eine Wahrheit geben oder daß jeder Mensch eine feste Anschauung haben müsse. Daß der Dichter sich der dialektischen Methode bewußt bedient haben könnte, schließt er anscheinend aus.
Schließlich gelangt Michelsen zu der Ansicht, "daß heute einzwie-

---

1) Peter Michelsen: Das Paradoxe als Grundstruktur Hebbelschen Denkens, a.a.O. S. 81.
2) ebd. S. 81.

facher Bruch in seiner Gestalt konstatiert werden (muß): der zwischen menschlicher und künstlerischer Persönlichkeit und der zwischem praktischem und theoretischem Vermögen"[1]. Dabei stützt er sich weitgehend auf die Publikation Zieglers, "Mensch und Welt in der Tragödie Friedrich Hebbels", wo ebenfalls die werkimmanente Betrachtungsweise zur Anwendung kommt.
Ein solches Verfahren, das zwei werkimmanente Interpretationen bemüht, um das Gesamtwerk Hebbels aufzuschlüsseln, muß zwangsläufig einen tiefen "Bruch" nach sich ziehen. Gehen wir aber davon aus, daß das Tagebuch Hebbels in starkem Maße auch Materialbuch ist und daß der Dichter sich in ihm um alle nur denkbaren Alternativen zum Idealismus und der Klassik bemüht und darüber hinaus auch seinem dramatischen Werk derartige Anschauungen zugrundelegt, so wird die Kluft zwischen Theorie und Praxis weitgehend abgebaut. Wir bestreiten hier keineswegs die größere weltanschauliche Geschlossenheit des dramatischen Werkes, aber Hebbel bedient sich ja selbst im Drama der "Erkenntnisskepsis", indem er seinen dramatischen Charakteren die Wahrheitsfindung erschwert oder gar unmöglich macht.
Hebbels Tragödien sind schließlich nicht ein Produkt intuitiven dramatischen Schaffens, sondern vielmehr das Ergebnis einer erfolgreichen Verknüpfung idealer und realer Perspektiven.

> Doch selbst dort noch, wo das realistische Drama auf die Frage nach einem ideellen Sinn und Wert des Daseins überhaupt keine positive Antwort mehr finden und geben zu können scheint: selbst dort noch transzendiert es nicht selten - beispielsweise in Büchners Danton oder Hebbels Judith - das Empirische immer noch wenigstens eben in Form der Frage, einer leidenschaftlich suchenden Sehnsucht wie einer schmerzvoll zerstörerischen Entbehrung und Klage auf das Göttlich-Absolute hin... (2)

Hebbel baut nämlich ganz auf die Fortschritte der Psychologie und

---

1) ebd. S. 80.
2) Klaus Ziegler: Stiltypen des deutschen Dramas im 19. Jahrhundert. In: Formkräfte der deutschen Dichtung vom Barock zur Gegenwart. Hrsg. von Hans Steffen. 2. durchgesehene Aufl., Göttingen 1967. S. 141 - 164. Hier: S. 159.

der Physiologie, die jene idealistischen Strömungen des 19. Jahrhunderts, denen der Dichter sich nicht zu entziehen vermochte, in Frage stellen: "Die theologischen Streitigkeiten sind unwichtig geworden, die Physiologie hat sie abgetan. Die ist weit gekommen und wohin wird die noch gelangen!" (T 5204)
Ganz im Gegensatz zu Herders "optimistischem Glauben"[1], das göttliche Weltgesetz lenke die menschliche Geschichte zur Humanität hin, sieht Hebbel den Fortschritt durch die positive Entwicklung der Naturwissenschaften gewährleistet. Nicht umsonst transponiert der Dichter zahlreiche psychologische und medizinische Gesichtspunkte, die mit den Begriffen Pathologie, Homöopathie und Diätetik hinreichend gekennzeichnet sind, in seine Dramen. Hebbel greift hier vor allem auf die Diätetik Chr. W. Hufelands zurück, der die Auffassung vertritt, daß "der Mensch der Natur und ihren Gesetzen"[2] treu bleiben muß, um nicht einer vorzeitigen Vernichtung anheimzufallen.
Unter dem Einfluß von Rousseau, Benzel-Sternau und Jacobi entwickelt der Dichter jene Weltsicht, die sein Zeitalter als unsittlich bzw. krank erachtete. Im Jahre 1839 vetritt er dann die Ansicht, "unsere meisten Laster" seien "zu stark entwickelte körperliche Sympathieen" und müßten "daher mit dem Körper selbst abgestreift werden..." (T 1488)
Hebbels dramatische Forderung, das Unsittliche bzw. Kranke und auch sein Träger müßten vernichtet werden, führt ihn in den weltanschaulichen Bereich Nietzsches, seine dramatische Auffassung von der Motivverlagerung[3] dagegen in die Nähe Schopenhauers.

---

1) Geißler bemerkt hier zu Recht: "Der optimistische Glauben Herders an die mögliche Vervollkommnung des Menschengeschlechts ist für Hebbel nicht mehr im gleichen Maße verbindlich". Klaus Geißler: Auseinandersetzung mit der Geschichte. a.a.O. S. 490.

2) Chr. W. Hufeland: Makrobiotik. a.a.O. S. 133.

3) Hehlmann beschreibt die Psychologie Schopenhauers wie folgt: "Aber bewußte Motivation reiche nicht aus, um die Handlungen eines Menschen zu erklären. Oft seien es unbewußte Antriebe, die ihm manchmal nachträglich, vielfach gar nicht einsichtig werden. Das Primat des Wollens zeige sich auch darin, daß öfters nachträgliche oder sekundäre Motivationen erfunden werden, um ein aus anderen Quellen gespeistes Verhalten zu motivieren". Hehlmann: Geschichte der Psychologie. a.a.O. S. 124.

Diese Einflüsse seitens der zeitgenössischen Philosophie und Psychologie sind von der Forschung bisher weitgehend übergangen worden, und das hat auch mitunter zu falschen Ergebnissen geführt. Die Kluft zwischen dem theoretischen und dramatischen Werk Hebbels ist bei weitem nicht so groß, wie es einzelne Interpreten erkannt- und wahrhaben wollten. Der Dichter hat zahlreiche Motive und Erkenntnisse aus den mannigfaltigen geistigen Strömungen seiner Zeit in seine Dramen transponiert, wenn auch die Basis seines dramatischen Strukturgefüges in erster Linie durch Schelling, Schubert, Feuerbach und Solger geprägt wurde. Einzelne Tragödien jedoch lassen schwerpunktsmäßig den Einfluß von Jacobi, Feuerbach, Herder und Hegel, dessen Einwirkungen auf Hebbels Gesamtwerk von der Forschung mitunter überbewertet wurde, erkennen. Was z.B. Schubert, der ja Hebbel bereits in frühen Jahren mit den Grundanschauungen der Psychologie Schellings vertraut gemacht hatte, in der ersten Phase für Hebbels theoretische und auch dramatische Ansätze bedeutete, muß in der zweiten Phase bedeutungsmässig dem Einfluß von Steffens zugeschrieben werden.
Vermutlich hat sich der Dichter auch schon in der Jugend mit den psychologischen Ansichten eines Tetens, Herbarts, Fries', Benekes und vor allem Cullens, der sich mit den "Anomalien" beschäftigte, auseinandergesetzt; für einen sicheren Nachweis fehlen uns allerdings die erforderlichen Quellen.
Hebbels Verhältnis zu den Naturwissenschaften beruht letztlich auf drei Ursachen: einerseits orientierte er sich an der naturwissenschaftlich ausgerichteten Philosophie Schellings, die ihm zwangsläufig nahelegte, sich auch mit den empirischen Wissenschaften zu befassen, andererseits folgte er der Ansicht Thorwaldsens, sich in wissenschaftliche Darlegungen zu vertiefen, um in der dramatischen Charaktergestaltung realitätsbezogen zu bleiben. Eine dritte Ursache weist auf seine Angehörigkeit zum "Wissenschaftlichen Verein von 1817" hin, dem er am 14. Mai 1835 beitrat. Hier wurden wissenschaftliche Probleme erörtert und analysiert, die sich auf alle relevanten zeitgenössischen Strömungen bezogen. Leider hat es der Dichter unterlassen (bis auf wenige Ausnahmen),

der Nachwelt mitzuteilen, mit welchen Schriften man sich dort befaßte. Dieser Grundzug Hebbels, keine bzw. nur spärliche Hinweise auf die Autoren und Schriften, die er studiert hatte, zu geben, hängt bekanntlich mit seiner Bildungsproblematik und seiner stark an Lichtenberg erinnernden unsystematischen Denkweise zusammen.

Sichere Bezüge lassen sich daher nur dort erstellen, wo er sich über einen längeren Zeitraum mit einem Autor beschäftigt hat, z.B. mit Schubert, Schelling oder Solger, oder auch dort, wo er in seinen Notaten Autoren oder Buchtitel erwähnt hat, z.B. Platner, Moritz oder Carus.

Die Psychologie des Tragischen, sein dramatisches Weltbild, erwächst aus den philosophisch-psychologischen Anschauungen Schuberts, Steffens, Schellings und Solgers, seine Psychologisierungstechnik rührt dagegen in stärkerem Maße von empirischen Ergebnissen her, die aber durchaus vereinzelt auch der spekulativen Philosophie und Psychologie Jacobis oder Herders zugrundeliegen.

Viele Elemente der Kennzeichnung bestimmter charakterologischer Eigenschaften der Hebbelschen Charaktere finden wir in der modernen Charakterkunde wieder: die psychischen Phänomene des Machtmenschen, die elementaren Dispositionen des Geschlechtergegensatzes oder die Einteilung der Temperamente in extra- und introvertierte Typen.

Somit erweist es sich, daß Hebbel einerseits noch ganz dem "siècle philosophique" verhaftet ist, indem er immer wieder "nach der Idee der Dinge, aber nach der Idee, die erscheint"[1], sucht, sich andererseits der irrationalen Psychologie der Romantik entzieht, indem er die fiktive Erscheinung des dramatischen Charakters mit den Mitteln der empirischen Psychologie realistisch gestalten will. Das Werk Hebbels bleibt somit das Spiegelbild einer Zeit, in der die gegensätzlichsten Weltanschauungen aufeinander eingewirkt, sich verbunden oder abgelöst haben.

---

1) Egon Friedell: Aufklärung und Revolution. Aus: Kulturgeschichte der Neuzeit. a.a.O. S. 32.

LITERATURVERZEICHNIS

1. Bibliographien

Wütschke, Helmut: Hebbel-Bibliographie. Ein Versuch. Berlin 1910

Meerbach/Liepe: Forschungsbericht für 1914. In: Jahresberichte für neuere dt. Literaturgeschichte, Bd. 25, 1918

Bieder, Theobald: Neuere Werke über Friedrich Hebbel. In: Deutsches Volkstum Nr. 5, Hamburg 1926

Jokisch, Willy: Bausteine zu einer Hebbel-Bibliographie 1919 - 30. In: Archiv für das Studium der neueren Sprachen, 88. Jg. Bd. 163. Hamburg 1933, S. 34 - 41

Michelsen, Peter: Beiträge zu einer Hebbel-Bibliographie. In: HJ 1953, S. 111 - 133; HJ 1954, S. 93 - 122, HJ 1955, S. 113 - 141; HJ 1956, S. 131 - 146

Trunz, Erich: Die Hebbel-Schriften Wolfgang Liepes. In: HJ 1960, S. 159 f

Reichart, Walter: Hebbel in Amerika und England. Eine Bibliographie. In: HJ 1961, S. 118 - 135

Matthiesen, Hayo: Beitrag zu einer Hebbel-Bibliographie. In: HJ 1963, S. 206 - 222

Kreuzer, Helmut: Zum Stand der Hebbel-Forschung. Ein Literaturbericht. In: Der Deutschunterricht 9, 1964, S.1-28

2. Gesamtausgaben

Friedrich Hebbels Sämmtliche Werke. Hrsg. von Emil Kuh. 12 Bde. Hamburg (Hoffmann und Campe) 1866

Friedrich Hebbels Werke. 5 Bde. Hrsg. von Gerhard Fricke u.a. München (Hanser) 1963 - 1967

Friedrich Hebbels Werke. 2 Bde. Hrsg. von Walther Vontin. Hamburg (Hoffmann und Campe) 1960

Friedrich Hebbel. Sämtliche Werke. Vollständige Ausgabe. Hrsg. von Hermann Krumm. 14 Bde. Leipzig 1913

3. Tagebücher und Briefe

Friedrich Hebbels Persönlichkeit. Gespräche, Urteile, Erinnerungen. Gesammelt und erläutert von Paul Bornstein. 2 Bde. Berlin (Behr) 1924

Der junge Hebbel. Lebenszeugnisse und dichterische Anfänge. Hrsg. von Paul Bornstein. Berlin (Behr) 1924

Neue Hebbel-Briefe. Hrsg. von Anni Meetz. Neumünster (Wachholtz) 1963 (Kieler Studien zur dt. Literaturgeschichte. 1)

Friedrich Hebbel. Der einsame Weg. Tagebücher. Hrsg. und erläutert von Klaus Geißler. 2. Aufl., Berlin 1970

4. Gesamtdarstellungen

Bamberg, Felix: Friedrich Hebbel. In: Allgemeine Deutsche Biographie. 1880. Bd. 11, S. 169 - 188

Janssen, Albrecht: Die Frauen rings um Hebbel. Berlin 1919 (Hebbel-Forschungen. 8)

Bornstein, Paul: Friedrich Hebbel. Ein Bild seines Lebens, auf Grund der Zeugnisse entworfen. Berlin 1930

Purdie, Edna: Friedrich Hebbel. A study of his life and work. London 1932

Sagarra, Eda: Hebbel. In: Tradition und Revolution. Deutsche Literatur und Gesellschaft 1830 bis 1890. Aus dem Englischen von H. Drube. Titel der Originalausgabe: Tradition and Revolution. Weidenfeld und Nicolson, London 1971. Deutsche Erstausgabe, München 1972, S. 213 - 222

Schaub, Martin: Friedrich Hebbel. Hannover 1967

Lewin, Ludwig: Friedrich Hebbel. Beitrag zu einem Psychogramm. Hrsg. von R.M. Werner und W. Block-Wunschmann. Berlin-Steglitz 1913. (Hebbel-Forschungen. 6)

Zieglschmid, Andreas J.: Beiträge zu Friedrich Hebbels Charakterkunde. Ein psychologischer Deutungsversuch. In: Hebbel-Forschungen Nr. XXII. Berlin/Leipzig 1932. Im Anhang. Elisabeth G. Seiler: Friedrich Hebbels Träume

Esselbrügge, Kurt: Zur Psychologie des Unbewußten in Hebbels Tagebüchern. In: HJ 1960, S. 117 - 142

Meetz, Anni: Friedrich Hebbel. 2. durchgesehene Aufl. Stuttgart 1962

Matthiesen, Hayo: Friedrich Hebbel. In Selbstzeugnissen und Bilddokumenten. Hamburg 1970

5. Lebensabschnitte

Meetz, Anni: Friedrich und Christine Hebbel. In: HJ 1960, S. 143 - 158

Wittkowski, Wolfgang: Der junge Hebbel. Zur Entstehung und zum Wesen der Tragödie Hebbels. Diss. 1954, Fotodruck 1955

Meetz, Anni: Hebbel und das Drama seiner Zeit. In: HJ 1959, S. 30 - 51

6. Zeitgenossen

Diebold, Edmund: Friedrich Hebbel und die zeitgenössische Beurteilung seines Schaffens. Berlin 1928

Kreuzer, Helmut: Hebbel und Kleist. In: Der Deutschunterricht, Jg. 13, Heft 2, 1961, S. 92 - 115

Guthke, Karl: Hebbel, Hauptmann und die "Dialektik" in der Idee. In: HJ 1961, S. 71 - 89

Siebert, Horst: Friedrich Hebbels Auseinandersetzungen mit Hegel und Solger. Diss. Kiel 1964

Siebert, Horst: Die dualistischen Weltdeutungen Hebbels und Solgers im Gegensatz zu Hegels dialektischer Philosophie. In: HJ 1965. S. 156 - 163

7. Gesamtdeutungen

Scheunert, Arno: Der Pantragismus als System der Weltanschauung und Ästhetik Friedrich Hebbels. Hamburg 1903

Dosenheimer, Elise: Das zentrale Problem in der Tragödie Friedrich Hebbels. Halle 1925

Walzel, Oskar: Friedrich Hebbel und seine Dramen. 3. Aufl., Berlin 1927

Sengle, Friedrich: Das deutsche Geschichtsdrama. Geschichte eines literarischen Mythos. Stuttgart 1952

Hackenberg, Gunther: Die nihilistische Situation des Menschen in den Tragödien Hebbels. Diss. Bonn 1952

Fricke, Gerhard: Studien und Interpratationen. Ausgewählte Schriften zu dt. Dichtung. Frankfurt a.M 1956

May, Kurt: Form und Bedeutung. Interpretationen dt. Dichtung des 18. und 19. Jahrhunderts. Stuttgart 1957

Newport, Clara: Woman in the thought and work of Friedrich Hebbel. Madison (Wisc.) 1912.

Frisch, Helga: Symbolik und Tragik in Hebbels Dramen. Diss. Bonn 1961. 2. Aufl., Bonn 1963

Liepe, Wolfgang: Beiträge zur Literatur- und Geistesgeschichte. Neumünster 1963 (Kieler Studien zu dt. Literaturgeschichte. 2)

Wiese, Benno von: Der Tragiker Friedrich Hebbel. In: HJ 1963, S. 9 - 32

Wiese, Benno von: Die Religion Büchners und Hebbels. In: Hebbel in neuer Sicht. Hrsg. von Helmut Kreuzer. Stuttgart 1963. S. 26 - 41

Wiese, Benno von: Die deutsche Tragödie von Lessing bis Hebbel. 7. Aufl., Hamburg 1967

Ziegler, Klaus: Friedrich Hebbel und die Krise des dt. Geistes. In: HJ 1949/50, S. 1 - 47

Michelsen, Peter: Das Paradoxe als Grundstruktur Hebbelschen Denkens. In: Hebbel in neuer Sicht. S. 80 - 108

Emrich, Wilhelm: Hebbels Vorwegnahme und Überwindung des Nihilismus. In: Akzente, Heft 3, 1964

Matthiesen, Hayo: Untersuchungen über die Quellen zu Friedrich Hebbels historischen Dramen. Ein Beitrag zur Stoffgeschichte und zur Deutung des Dichters. Diss. Kiel 1965

Kleinschmidt, Gerd: Die Person im frühen Drama Friedrich Hebbels. Lahr 1965

Stolte, Heinz: Friedrich Hebbel. Welt und Werk. Hamburg 1965

Singer, Sebastian: Das existentiale Prinzip in Hebbels Denken und Dichten. Diss. Bonn 1951

8. Einzelne Werke

Gruenter, Rainer: Herodes und Mariamne. In: Das deutsche Drama. 2. Aufl. Hrsg. von Benno von Wiese. Bd.II, 1960 S. 123 - 140

Hermand, Jost: Hebbels "Nibelungen" - Ein deutsches Trauerspiel. In: Hebbel in neuer Sicht. Hrsg. von Helmut Kreuzer. 2. durchgesehene Aufl. Stuttgart 1969, S. 315 - 333

Kreuzer, Helmut: Hebbels "Gyges und sein Ring". In: Hebbel in neuer Sicht. S. 294 - 314

Ziegler, Klaus: Mensch und Welt in der Tragödie Friedrich Hebbels. Darmstadt 1966. Unveränderter reprograf. Nachdruck der Ausgabe Berlin 1938

Kreuzer, Helmut: Hebbels "Agnes Bernauer" (und andere Dramen der Staatsraison und des politischen Notstandsmordes). In: Hebbel in neuer Sicht. S. 267 - 293

May, Kurt: Hebbels "Herodes und Mariamne". In: Deutsche Dramen von Gryphius bis Brecht. Hrsg. von Jost Schillemeit. Frankfurt a.M 1965. S. 259 - 268

Ryan, Lawrence: Hebbels "Herodes und Marimne": Tragödie und Geschichte. In: Hebbel in neuer Sicht. S. 257 - 266

Stern, Martin: Das zentrale Problem in Hebbels "Maria Magdalena". In: Hebbel in neuer Sicht. S. 228 - 246

Wittkowski, Wolfgang: Hebbels "Judith". In: Hebbel in neuer Sicht. S. 164 - 184

Wittkowski, Wolfgang: Hebbels "Genoveva". In: Hebbel in neuer Sicht. S. 185 - 207

Vanhelleputte, Michael: La modernite de la "Judith" de Hebbel. In: Etudes Germaniques 18, 1963. S. 419 - 431

Vontin, Walther: Judith. Götze aus Erz und Ton. Hebbels Kritik und ihre Auswirkungen. In: HJ 1960. S. 54 - 99

Kreuzer, Helmut: Die Tragödien Friedrich Hebbels. Versuch ihrer Deutung in Einzelanalysen. Diss. Tübingen 1956

Wittkowski, Wolfgang: Menschenbild und Tragik in Hebbels "Agnes Bernauer". In: Germanisch-Romanische Monatsschrift 39, NF 8, 1958

Nagel, Bert: Die Tragik des Menschen in Hebbels Dichtung. Zum Verständnis der Tragödie "Gyges und sein Ring". In: HJ 1962, S. 15 - 93

9) Tagebücher, Lyrik, Novellen

Martini, Fritz: Der Lyriker Hebbel. Theorie und Gedicht. In: Hebbel in neuer Sicht. S. 123 - 149

Michelsen, Peter: Friedrich Hebbels Tagebücher. Eine Analyse ihrer weltanschaulichen Grundgehalte. Diss. Göttingen 1952

Michelsen, Peter: Das Paradoxe als Grundstruktur Hebbelschen Denkens. Resultate einer immanenten Untersuchung der Tagebücher. In: HJ 1952, S. 8 - 43

Müller, Joachim: Zur Struktur und Funktion von Hebbels Tagebüchern. In: Hebbel in neuer Sicht. S. 109 - 122

Sickel, Paul: Friedrich Hebbels Welt- und Lebensanschauung. Nach den Tagebüchern, Briefen und Werken des Dichters. In: Beiträge zur Ästhetik XIV. Hamburg 1912

II) Zum zeitgeschichtlichen Hintergrund

Beneke, Friedrich Eduard: Lehrbuch der Psychologie. Berlin/Posen/Bromberg 1833

Benzel-Sternau, Karl Chr. Graf von: Das goldene Kalb. Eine Biographie. 2 Bde. Gotha 1802

Burdach, Karl Friedrich: Der Mensch nach den verschiedenen Seiten seiner Natur. Stuttgart 1836

Carus, Carl Gustav: Psyche. Zur Entwicklungsgeschichte der Seele. 2. verbesserte und vermehrte Aufl. Stuttgart 1851

Carus, Carl Gustav: Symbolik der menschlichen Gestalt. Ein Handbuch zur Menschenkenntnis. 3. vielfach vermehrte Aufl. Stuttgart 1851

Carus, Carl Gustav: Lebenserinnerungen und Denkwürdigkeiten. 4 Bde. Leipzig 1865

Eschenmayer, Karl Friedrich: Mysterium des innern Lebens. (erläutert aus der Geschichte der Seherin von Prevorst) Tübingen 1830

Feuchtersleben, Ernst Freiherr von: Zur Diätetik der Seele. Mit einer Einf. und Ausz. aus den Tagebuchbl. und Aphorismen aus des Verfassers Werken. Hrsg. von Wilhelm Dreekken. Lahr 1947

Feuerbach, Ludwig: Das Wesen des Christentums. In: L. Feuerbachs sämtlichen Werken. Durchgesehen und neu herausgegeben von Wilhelm Bolin. Bd. VI, Stuttgart 1903

Floegel, Karl Friedrich: Geschichte der Hofnarren. Liegnitz/Leipzig 1789

Hamann, Johann Georg: Schriften zur Sprache. Einleitung und Anmerkungen von Josef Simon. Frankfurt a.M 1967

Gildemeister, C.H.: Johann Georg Hamann's des Magus im Norden, Leben und Schriften. 6 Bde. Gotha 1857 - 1873

Hegel, Georg Wilhelm Friedrich: Die Philosophie des Geistes. In: Hegel Studien Ausgabe. Bd. III, hrsg. von Karl Löwith und Manfred Riedel. Frankfurt 1968

Hegel, Georg Wilhelm Friedrich: Phänomenologie des Geistes. Auf der Grundlage der Werke von 1832 - 1845 neue edierte Ausgabe. Redaktion Eva Moldenhauer und K.M. Michel. Frankfurt a.M 1970

Hegel, Georg Wilhelm Friedrich: Vorlesungen über die Ästhetik. Auf der Grundlage der Werke von 1832 - 1845 neu edierte Ausgabe. 3Bde, Frankfurt a.M 1970

Herder, Johann Gottfried: Auch eine Philosophie der Geschichte der Menscheit. Nachwort von H.-G. Gadamer. Frankfurt 1967

Herder, Johann Gottfried: Ideen zur Philosophie der Geschichte der Menschheit. Textausgabe der historisch-kritischen Ausgabe Berlin 1877 - 1913. München (o.J.)

Hufeland, Friedrich: Über Sympathie. Weimar 1811

Hufeland, Christoph Wilhelm: Makrobiotik oder die Kunst das menschliche Leben zu verlängern. 6. Aufl., Berlin 1842

Humboldt, Wilhelm von: Schriften zur Anthropologie und Geschichte. In: Werke in fünf Bänden. Hrsg. von Andreas Flitner und K. Giel. Darmstadt 1960

Jacobi, Friedrich Heinrich: Eduard Allwills Papiere. Faksimiledruck der erweiterten Fassung von 1776. Aus Chr. M. Wielnds "Teutschem Merkur". Mit einem Nachwort von Heinz Nicolai. Stuttgart 1962

Jacobi, Friedrich Heinrich: Werke. Woldemar in Bd. V, Leipzig 1820

Kant, Immanuel: Anthropologie in pragmatischer Hinsicht. In: Kants sämtliche Werke. Hrsg. von der königlich preussischen Akademie der Wissenschaften. Bd. VII, Berlin 1907

Lavater, Johann Caspar: Ausgewählte Werke. Hrsg. von Ernst Staehelin. Zürich 1943

Lichtenberg, Georg Christoph: Aphorismen, Briefe, Satiren. Düsseldorf/Köln 1962

Moritz, Karl Philipp: ΓΝΩΘ ΣΑΥΤΟΝ oder Magazin zur Erfahrungsseelenkunde (als ein Lesebuch für Gelehrte und Ungelehrte). Hrsg. von Carl Philipp Moritz. 10 Bde. 1783 - 1793

Novalis: Fragmente. In: Sämtliche Werke. Hrsg von Ewald Wasmuth. Heidelberg 1857

Platner, Ernst: Philosophische Aphorismen. Nebst einigen Anleitungen zur philosophischen Geschichte. Neue durchaus umgearbeitete Ausgabe. 2 Bde. Leipzig 1784

Platner, Ernst: Philosophische Aphorismen. Nebst einigen Anleitungen zur philosophischen Geschichte. 2 Bde. Leipzig 1776

Rousseau, Jean Jacques: Oeuvres completes. Hrsg. von B. Gagnebin und M. Raymond. Bisher 4 Bde. Paris 1959 - 1969

Rousseau, Jean Jacques: Die Krisis der Kultur. Hrsg. von P. Sankmann. 2. Aufl., Stuttgart 1956

Rousseau, Jean Jacques: Die neue Heloise. Hrsg. von Curt Moreck. 2 Bde. Berlin 1920

Kierkegaard, Soren: Der Gesichtspunkt für meine Wirksamkeit als S. Eine direkte Mitteilung, Rapport an die Geschichte.Hrsg. von P.Chr. Kierkegaard. Kopenhagen 1859. Übersetzt von A. Dorner und Chr. Schrumpf. Jena 1922.

Schlegel, Friedrich: Philosophie des Lebens. In: Kritische Friedrich Schlegel-Ausgabe. Bd. X. Hersg. und eingeleitet von Ernst Behler. München/Paderborn/Wien 1969

Schopenhauer, Artur: Die Welt als Wille und Vorstellung. In: Werke. Bd. I, Leipzig (Brockhaus) 1891

Schubart, Friedrich Daniel: Leben und Gesinnungen. 2 Bde. Stuttgart 1791 - 1793

Schubert, Gotthilf Heinrich: Ansichten von der Nachtseite der Naturwissenschaft. Daramstadt. Unveränderter reprografischer Nachdruck der Ausgabe Dresden 1808

Schubert, Gotthilf Heinrich: Ahndungen einer allgemeinen Geschichte des Lebens. 4 Bde. Leipzig 1806 - 1821

Schubert, Gotthilf Heinrich: Die Symbolik des Traumes. 3. verbesserte und vermehrte Aufl. Leipzig 1840

Schubert, Gotthilf Heinrich: Lehrbuch der Menschen- und Seelenkunde. Erlangen 1838

Schubert, Gotthilf Heinrich: Die Geschichte der Seele. 2 Bde. 5. Aufl. Stuttgart 1877

Solger, Karl Wilhelm F.: Vorlesungen über Ästhetik. Hrsg. von K.W.L Hense. Leipzig 1829

Steffens, Henrik: Die gegenwärtige Zeit und wie sie geworden. 2 Bde. Berlin 1817

Steffens, Henrik: Lebenserinnerungen aus dem Kreis der Romantik. In Auswahl herausgegeben von Friedrich Gundelfinger. Jena 1908

Steffens, Henrik: Die Karikaturen des Heiligsten. " Bde. Leipzig 1819 - 1821

Steffens, Henrik: Anthropologie. 2 Bde. Breslau 1822

Tetens, Johann Nicolas: Philosophische Versuche über die menschliche Natur und ihre Entwicklung. 2 Bde. Leipzig 1777

Schelling, Friedrich Wilhelm Joseph: Werke. Münchner Jubiläumsdruck, nach der Originalausgabe in neuer Anordnung herausgegeben von Manfred Schröter. Unveränderter Nachdruck des 1927 erschienenen Münchner Jubiläumsdruckes. 1958. 5 Bde., 2 Ergänzungsbde.

Schelling, Friedrich Wilhelm Joseph: Das Wesen der menschlichen Freiheit. Mit Einleitung, Namen- und Sachregister neu herausgegeben von Chr. Hermann. Leipzig 1925

Kerner, Andreas Justinus: Die Seherin von Prevorst. Eröffnungen über das innere Leben des Menschen und über das Hereinragen einer Geisterwelt in die unsere. 2. vermehrte und verbesserte Aufl. Stuttgart/Tübingen 1851

Nietzsche, Friedrich: Werke. Ausgewählt und eingeleitet von August Messer. Leipzig 1930

III) Sonstige Literatur

Hauser, Arnold: Methoden moderner Kunstbetrachtung. Ungekürzte Sonderausgabe. München 1970

Hauser, Arnold: Sozialgeschichte der Kunst und Literatur. 2 Bde. München 1953

Wellek/Warren: Theorie der Literatur. Frankfurt a.M 1971

Staiger, Emil: Grundbegriffe der Poetik. 8. Aufl. Zürich/Freiburg 1968

Zmegac, Viktor: Methoden der deutschen Literaturwissenschaft. Frankfurt a.M 1971

Maren-Grisebach, Manon: Methoden der Literaturwissenschaft. Bern 1970

Petsch, Robert: Wesen und Form des Dramas. 6. Aufl. Frankfurt a.M 1971

Seidler, Herbert: Die Dichtung. Wesen, Form, Dasein. 2. überarbeitete Aufl. Stuttgart 1965

Szondi, Peter: Theorie des modernen Dramas. 6. Aufl. Frankfurt a.M 1969

Szondi, Peter: Versuch über das Tragische. 2. durchgesehene Aufl. Frankfurt a.M 1964

Ziegler, Klaus: Stiltypen des deutschen Dramas im 19. Jahrhundert. In: Formkräfte der deutschen Gegenwart. Vom Barock zur Gegenwart. Hrsg. von Hans Steffen. 2. durchgesehene Aufl. Göttingen 1967. S. 141 - 164

Jaspers, Karl: Einführung in die Philosophie. München 1961

Jaspers, Karl: Aneignung und Polemik. Zur Geschichte der Philosophie. Gesammelte Reden und Aufsätze. Hrsg. von Hans Saner. München 1968

Jaspers, Karl: Psychologie der Weltanschauungen. 6. Aufl. Berlin/Heidelberg/New York 1971

Gerster, Georg: Die leidigen Dichter. Goethes Auseinandersetzung mit dem Künstler. Zürich 1954

Marcuse, Wilhelm: Sigmund Freud. Sein Bild vom Menschen. Hamburg 1962

Freud, Sigmund: Gesammelte Werke. Aus den Jahren 1917 - 1920. 3.Aufl. 1947 Imago Publishing Co., Ltd., London. Fotomechanischer Nachdruck. Frankfurt a.M (o.J.)

Freud, Sigmund: Drei Abhandlungen zur Sexualtheorie. Auswahl und Nachwort von Alexander Mitscherlich. Frankfurt /Hamburg 1961

Freud, Sigmund: Abriß der Psychoanalyse. Das Unbehagen in der Kultur. Mit einer Rede von Thomas Mann als Nachwort. Frankfurt/Hamburg 1953

Rohracher, Hubert: Kleine Charakterkunde. 12. Aufl. Wien/Innsbruck 1969

Wellek, Albert: Psychologie. 2. Aufl. Bern 1965

Remplein, Heinz: Psychologie der Persönlichkeit. Die Lehre von der individuellen und typischen Eigenart des Menschen. 6. ergänzte Aufl. München/Basel 1967

Hehlmann, Wilhelm: Geschichte der Psychologie. 2. durchgesehene Aufl. Stuttgart 1967

Kern, Hans: Von Paracelsus bis Klages. Berlin 1942

Doucet, Fr.: Forschungsobjekt Seele. Eine Geschichte der Psychologie. München 1971

Tucker, Robert: Karl Marx. Die Entwicklung seines Denkens von der Philosophie zum Mythos. München 1963

Keller, Wilhelm: Das Problem der Willensfreiheit. Bern/München 1965

Friedell, Egon: Aufklärung und Revolution. Aus: Kulturgeschichte der Neuzeit. München 1961

SACHREGISTER

Lebenslauf

Ich, Wolfgang Ritter, wurde geboren am 1. Mai 1943 in Wien als Sohn des Arztes Kurt Ritter und seiner Ehefrau Erika, geborene Elsigan. Ich bin römisch-katholisch und deutscher Staatsangehörigkeit. Seit Mai 1968 bin ich verheiratet und habe ein Kind.
Vom 6. bis zum 10. Lebensjahr besuchte ich die Volksschulen in Oberlar und Oberpleis. Im April 1954 trat ich in das Ernst-Kalkul-Gymnasium in Oberkassel ein. Als Untersekundaner kam ich 1961 in das Landschulheim Steinmühle, in dem ich im Februar 1966 mein Abitur bestand. Nach zweijähriger Bundeswehrzeit als Sanitäter bewarb ich mich als Erzieher im Internat des Landschulheimes Steinmühle. Diese pädagogische Tätigkeit, die mir sehr viel Freude bereitet, übe ich auch noch heute aus. Im April 1968 erfolgte meine Immatrikulation an der Philipps-Universität in Marburg. Hier belegte ich als Hauptfach Germanistik und als Nebenfach Pädagogik. Mein besonderes Interesse galt auch der Psychologie und Philosophie. Im Juni 1972 bestand ich an der Philipps-Universität das Magisterexamen und im April 1973 das Rigorosum.

MARBURGER BEITRÄGE ZUR GERMANISTIK

Wolfgang Ritter

Hebbels Psychologie und dramatische Charaktergestaltung

N. G. ELWERT VERLAG MARBURG

Marburger Beiträge zur Germanistik

Band 1: *Ewald Rösch,* Komödien Hofmannsthals. Die Entfaltung ihrer Sinnstruktur aus dem Thema der Daseinsstufen. 2. Auflage. 1969.

Band 2: *Jürgen Hohmeyer,* Thomas Manns Roman „Joseph und seine Brüder". Studien zu einer gemischten Erzählsituation. 2. Auflage. 1969.

Band 3: *Horst Enders,* Stil und Rhythmus. Studien zum freien Rhythmus bei Goethe. 1962.

Band 4: *Marie-Luise Linn,* Studien zur deutschen Rhetorik und Stilistik im 19. Jahrhundert. 1963.

Band 5: *Georg Stötzel,* Die Bezeichnungen zeitlicher Nähe in der deutschen Wortgeographie von „dies Jahr" und „voriges Jahr". 1964.

Band 6: *Horst H. Munske,* Das Suffix **inga-unga* in den germanischen Sprachen. 1964.

Band 7: *Ursula Oppenberg,* Quellenstudien zu Friedrich Schlegels Übersetzungen aus dem Sanskrit. 1964.

Band 8: *Walther Dieckmann,* Information oder Überredung. Zum Wortgebrauch der politischen Werbung in Deutschland seit der französischen Revolution. 1964.

Band 9: *Jörg-Jochen Müller,* Studien zu den Willenhag-Romanen Johann Beers. 1965.

Band 10: *Bernhard Peters,* Onomasiologie und Semasiologie der Preißelbeere. 1967.

Band 11: *Gesine Frey,* Der Raum und die Figuren in Franz Kafkas Roman „Der Prozeß". 2., verb. Aufl. 1969. Unveränderter Nachdruck. 1973.

Band 12: *Hubert Heinen,* Die rhythmisch-metrische Gestaltung des Knittelverses bei Hans Folz. 1966.

Band 13: *Renate Hildebrandt-Günther,* Antike Rhetorik und deutsche literarische Theorie im 17. Jahrhundert. 1966.

Band 14: *Rolf Müller,* Die Synonymik von „Peitsche". Semantische Vorgänge in einem Wortbereich. 1966.

Band 15: *Werner Metzler,* Die Ortsnamen des Nassauischen Westerwaldes. 1966.

Band 16: *Dietmar Wünschmann,* Die Tageszeiten. Ihre Bezeichnung im Deutschen. 1966.

Band 17: *Werner Hoffmann,* Adalbert Stifters Erzählung „Zwei Schwestern". Ein Vergleich der beiden Fassungen. 1966.

Band 18: *Walter Wagner,* Die Technik der Vorausdeutung in Fontanes „Vor dem Sturm" und ihre Bedeutung im Zusammenhang des Werkes. 1966.

Band 19: *Ekkehart Mittelberg,* Wortschatz und Syntax der Bildzeitung. Unveränderter Neudruck 1970.

Band 20: *Anthony Stanforth,* Die Bezeichnungen für 'groß', 'klein', 'viel' und 'wenig' im Bereich der Germania. 1967.

Band 21: *Hans W. Nicklas,* Studien zu Thomas Manns Novelle „Der Tod in Venedig". Analyse des Motivzusammenhangs und der Erzählstruktur. 1968.